Przypadkowe spotkanie

AGNIESZKA RUSIN

Przypadkowe spotkanie

Replika

Redakcja
Katarzyna Dobicka
Joanna Pawłowska

Projekt okładki
Iza Szewczyk

Zdjęcie na okładce
Copyright © depositphotos.com/molka
Copyright © depositphotos.com/Anjela30

Skład i łamanie
Maciej Martin

Wydanie I

ISBN 978-83-7674-483-4

Wydawnictwo Replika
ul. Wierzbowa 8, 62-070 Zakrzewo
tel./faks 61 868 25 37
replika@replika.eu
www.replika.eu

Słońce nieznośnie kłuło twarze przechodniów swymi ostrymi promieniami. Parking znajdujący się tuż przy markecie przeładowany był plejadą buchających żarem aut. Środa była kolejnym upalnym, czerwcowym dniem, kiedy to większość ludzi szukała choćby najmniejszego zakątka cienia i ochłody. Ścisk samochodów powodował, że kolejni właściciele swych aut nerwowo objeżdżali parking w poszukiwaniu kawałka wolnego miejsca. Również Kalina, siedząc w swoim peugeocie z długą listą zakupów w ręce, rozglądała się uważnie dokoła, klnąc przy tym jak szewc.

– Jasna cholera! Czy wszyscy mają dziś wolne? Oszaleć można… Oczywiście jest miejsce, ale tylko dla inwalidów – westchnęła ciężko, po czym ostatecznie zrezygnowana, bez widoku na lepszą perspektywę, wjechała na miejsce dla niej zakazane, z charakterystycznym znakiem wózka, robiąc przy tym minę niewiniątka. – Trudno… Najwyżej zapłacę… – stwierdziła, wzruszając obojętnie ramionami. Pospiesznie wykaraskała się z auta.

Stała jeszcze przez chwilę, nieufnie rozglądając się dokoła. W końcu z duszą na ramieniu ruszyła w stronę marketu. Poszukała w portfelu złotówki, chwyciła za wózek i zdecydowanym krokiem weszła do sklepu. Z ulgą poczuła, jak rozkosznie chłodne, klimatyzowane powietrze otula jej zmęczone upałem ciało. Liczba produktów, które miała kupić, była imponująca, i jak zawsze to jej przypadła wątpliwa przyjemność przemierzania dziesiątek półek w poszukiwaniu okazji cenowych i uzupełniania braków w lodówce. Zagoniona i nieco zaniedbana, i tak wyglądała ładnie i kobieco. Jej rozpuszczone, półdługie blond włosy idealnie współgrały z wielkimi, zielonymi oczami oraz delikatnie zarysowanymi brwiami. Ubrana w jasnoszare dresowe spodnie i biały T-shirt nie wyglądała jak czterdziestoletnia kobieta, lecz jak nastolatka. Kalina z niepewnością w oczach rozglądała się dokoła, nie bardzo wiedząc, od czego zacząć.

– Ser, mleko, warzywa, proszek do prania… Zwariować można… – szeptała do siebie, kiwając nerwowo głową. Jej mąż Witold nigdy nie miał czasu na takie babskie – jak to nazywał – zajęcia, a ich dorastająca córka pochłonięta była nauką i intensywnie rozkwitającym życiem towarzyskim. Zatem chcąc zjeść coś w miarę zdrowego, Kalina musiała wziąć sprawy w swoje ręce, inaczej byłaby skazana na codzienne jedzenie pizzy, ku uciesze córki.

Setki zagonionych ludzi pospiesznie przemierzały market, Kalina zdecydowała, że zacznie od działu z warzywami. Wieczorem miała zaserwować kolację dla niespodziewanych gości, których Witold zaprosił jak zawsze w ostatniej chwili. Nigdy szczególnie nie przejmował się tym, czy Kalina znajdzie czas na jego towarzyskie pomysły, uznając, że skoro żona nie pracuje, to powinna poświęcić się rodzinie i innym domowym obowiązkom oraz zwierzętom, dokładnie mówiąc: dwóm psom, Teriemu i Skotowi.

– Gdzie są te limonki i papryka? – Kalina niecierpliwie mamrotała pod nosem, zmęczona porannym sprzątaniem całego domu i przytłaczającym ją zewsząd tłumem ludzi. Zupełnie niespodziewanie nadeszła odsiecz.

– Na lewo, musi pani spojrzeć tam, na lewo… – zabrzmiał męski, łagodnie brzmiący głos, którego właściciel właśnie przeszukiwał skrzynię z pietruszkami, szukając ładniejszych i zdrowszych okazów. Kalina spojrzała w jego stronę z nieskrywaną wdzięcznością.

– Ach, faktycznie… są tam, dziękuję panu za pomoc. – Uśmiechnęła się, zerkając na lekko zarośniętą twarz rosłego bruneta o wspaniałej oliwkowej karnacji. Jego ciemne, uważne oczy uśmiechały się do niej łagodnie na tle burzy czarnych, gęstych włosów. Lekko orli nos nadawał mu powagi i charakteru. Za to delikatny i obco brzmiący akcent wskazywał na to, że nieznajomy jest obcokrajowcem.

– Nie ma sprawy – odparł, uśmiechając się. – Muszę panią ostrzec, że przeważnie panuje tu ogólny bałagan, niestety w tym markecie nie mają porządku i trzeba się porządnie naszukać, by znaleźć ładną i dorodną pietruchę czy paprykę – żartował, łagodnym ruchem ręki odgarniając rozmierzwione włosy za ucho. Kalina próbowała ukryć swoje rozbawienie.

– Racja. Wie pan, najgorszy jest parking, nie ma gdzie igły wsadzić, a co dopiero zaparkować… – podjęła zgrabnie temat, a następnie włożyła do swojego wózka papryki, limonki i sałatę. Ostatecznie postanowiła pójść na łatwiznę, kupić kurczaka i zwyczajnie upiec go w piekarniku, nic innego nie przyszło jej do głowy, do tego sałatka i jakieś ciasto. Mężczyzna szedł tuż przed nią i, co chwilę oglądając się za siebie, sięgnął w końcu do pojemnika z suszonymi morelami.

– Dziś jest wyjątkowy tłok – zaczął po chwili. – Zrobili przeceny, promocje na nabiał i artykuły chemiczne, może to dlatego... – Mrugnął do niej zabawnie. Kalina uśmiechnęła się. Po cichu podziwiała, jak jej rozmówca świetnie radzi sobie z zakupami i najwidoczniej wie, czego szuka.

– Jak na mężczyznę jest pan świetnie zorientowany w nowinkach zakupowych – wtrąciła zaskoczonym i jednocześnie pełnym uznania tonem. Nieznajomy zmarszczył czoło.

– A co w tym dziwnego?

– Dla mnie to zaskakujące, mój mąż... on nawet nie wie gdzie, jest market. A co dopiero by było, gdyby miał tu zrobić jakieś zakupy. – Machnęła ręką z rezygnacją

– Rozumiem, cóż, bywa i tak... – odparł, wzdychając. – Jak sądzę, nie musi tego robić sam, skoro robi to pani – stwierdził po chwili, a Kalina uśmiechnęła się tylko i, spuszczając głowę, wbiła wzrok w podłogę. Poczuła nagły przypływ zmęczenia faktem, że zawsze wszystko spoczywa na jej delikatnych, kobiecych barkach. *Dlaczego wcześniej nie spotkałam takiego mężczyzny?*, dumała, skręcając wózkiem lekko w prawo.

Mężczyzna uśmiechnął się do niej, kiwnął lekko głową i po chwili zniknął w dziale z pieczywem, a ona, dokładając do sklepowego wózka koszyczek pieczarek, ruszyła w stronę smętnej kolejki po kurczaka. Stała tak, z bezmyślnie wyglądającą miną, i spoglądała nieśmiało w stronę, gdzie zniknął nieznajomy.

Co ja robię?, pomyślała, mając ochotę puknąć się w głowę. Od dwudziestu lat była mężatką, niekoniecznie bardzo szczęśliwą, ale mężatką. Kolejka posuwała się naprzód, a ona nagle uświadomiła sobie, że przez cały okres trwania jej małżeństwa Witold nigdy sam nie kupił nawet pęczka warzyw, nie zrobił choćby jajecznicy, nigdy nie uprał sobie skarpetek, a o podaniu śniadania do łóżka nawet żal i wstyd mówić.

Z dwukilogramowym martwym kurczakiem leżącym w towarzystwie licznych warzyw, Kalina podjechała jeszcze do regałów z ciastami. *Jakie wybrać?*, rozważała, gdy niespodziewanie w jej torebce rozległ się głośny dźwięk telefonu. Pospiesznie zaczęła przeszukiwać jej zawartość.

– Blanka? Co chciałaś, dziecko, jestem w sklepie.

– No właśnie, mamo, kup jakieś chipsy, ze trzy paczki, i colę, okej? – zabrzmiał melodyjny głos jej córki.

– Nie ma mowy, to śmieciowe jedzenie – zaprotestowała.

– Mamo, mam dziś gości na wieczór, ma wpaść Rafał i Kuba, proszę… – Blanka przemawiała błagalnym głosem.

– No zgoda, w drodze wyjątku… Ale następnym razem odmówię, zapamiętaj, córeczko.

– No już dobrze, mamo, jesteś kochana.

– Jasne, i znowu będę wracała do domu z siatkami w zębach. Kończę, pa.

– Pa.

Sernik z makiem, to będzie dobry wybór, postanowiła ostatecznie, chowając telefon do kieszeni spodni, i zgrabnym ruchem ręki sięgnęła po ciasto. Wrzuciła jeszcze do wózka obiecane chipsy, colę i siatkę pomarańczy i w końcu ruszyła w stronę kas. Po pół godzinie, z czterema siatami pełnymi zakupów, Kalina ruszyła w stronę wyjścia. Wszystko byłoby cudownie, gdyby nie fakt, że nagle jedna z siatek pękła pod naporem ciężaru, wywołując tym samym sensację wśród przechodniów i uśmiechy gapiów. Kalina spanikowała.

– Pomogę pani… – usłyszała nad sobą dziwnie znajomy męski głos, gdy pochylona nad nieznośnie uciekającymi przed nią warzywami, niezgrabnie usiłowała je wyłapać. Zaskoczona, szybko odwróciła głowę. Obok niej kręcił się znajomy brunet. Z wypiekami na twarzy i lekką zadyszką, Kalina uśmiechnęła się do niego nieśmiało.

– Co za pech… – wysapała, czując się dość niezdarnie.

– Te siatki są strasznie tandetne i słabe, proszę zabierać ze sobą takie szyte, z materiału… Są najpewniejsze i ekologiczne – oznajmił wybawca, przynosząc jej resztę warzyw. Kalina odetchnęła z ulgą.

– Ma pan rację, tak zrobię. Jeszcze raz dziękuję za pomoc, jest pan bardzo uprzejmy, nie każdy by tak postąpił.

– Cieszę się, że mogłem pomóc – wyznał, spoglądając na nią przenikliwie. Kalinę przeszył dziwny dreszcz, nie wiedziała, czy to podniecenie, czy ekscytacja. Być może jedno i drugie. W każdym razie poczuła się dość dziwnie i nieco nieswojo.

– Pójdę już. Praca czeka, dom, obiad do zrobienia… Jeszcze raz dziękuję za pomoc i do widzenia – rzuciła, zmieszana bliskością mężczyzny, który wciąż z zainteresowaniem przyglądał się jej tak, jakby analizował każdy centymetr jej twarzy i ciała. Kalina uśmiechnęła się niepewnie i odwróciła w stronę wyjścia. Znajomy podążał za nią wzrokiem.

– Czyli nie da się pani zaprosić na kawę? – ponownie usłyszała jego głos, tuż za plecami.

– Na kawę? – Odwróciła się zaskoczona, a jej wielkie, zielone oczy nagle zabłysły.

– Tak... A więc? – Spoglądał na nią przenikliwie, uśmiechając się lekko i wyczekując odpowiedzi.

– Nie wiem, nie mam dziś czasu... Może innym razem – odpowiedziała po chwili, bez przekonania.

– To może jutro?

Zawahała się.

– Chyba nie... nie mogę, przykro mi – odparła, choć wszystko podpowiadało jej, że jest w tym człowieku coś wyjątkowego, coś, czego nie potrafi w żaden sposób nazwać.

– Cóż, szkoda. Gdyby się pani jednak zdecydowała, to i tak będę tu jutro czekał na panią o szesnastej, w tamtej kawiarence. – Wskazał miejsce ręką, po czym uśmiechnął się do niej łagodnie.

– Będzie pan na mnie czekał? – Na twarzy Kaliny zagościło niedowierzanie, a jej piękne oczy migotały teraz jak dwie gwiazdy, zdradzając tym samym drzemiące w niej emocje.

– Tak.

– Ale dlaczego? Nie rozumiem...

– Bo mam ochotę wypić kawę w pani towarzystwie, czy to aż tak dziwne?

Kalina wpatrywała się w niego oniemiała.

– To dość osobliwe, nie sądzi pan? W końcu w ogóle się nie znamy... – Jej delikatne brwi lekko uniosły się do góry.

– Ja tak nie uważam.

– Cóż…

– Więc?

– Nie wiem, chyba czułabym się nieco dziwnie.

– Rozumiem, zapewne woli pani wypić kawę w towarzystwie swojego męża. – Mężczyzna spuścił lekko głowę, wzdychając.

Kalina milczała. Nie wiedziała, jak się zachować, bowiem w jakiś niewytłumaczalny sposób nieznajomy przyciągał ją do siebie jak magnes. Czuła jednak, że jako mężatka powinna mu odmówić.

– Lepiej już pójdę, jeszcze raz dziękuję – powiedziała po chwili, chwytając za wypełnione po brzegi siatki.

– W takim razie do widzenia – usłyszała jego cichą odpowiedź.

– Do widzenia. – Kiwnęła łagodnie głową i ponownie odwróciła się w stronę wyjścia, wciąż czując na sobie jego intensywny wzrok. Jakaś jej cząstka przez chwilę krzyczała „Cofnij się, wariatko, to tylko jedna kawa! ", jednak gdy się odwróciła, jego już tam nie było. Kalina uśmiechnęła się do siebie i westchnęła cicho, powoli ruszając w stronę parkingu.

Nieznośny żar znów w nią uderzył. W końcu zdołała dotrzeć do auta, otworzyła drzwi bagażnika i wsadziła zakupy do środka. Wnętrze samochodu buchało nieprzyjemnie gorącym powietrzem.

– Dzięki Bogu ktoś wymyślił klimatyzację… – stwierdziła i podeszła do drzwi od strony kierowcy. Nagle usłyszała za sobą piskliwy i nieprzyjemny kobiecy głos.

– Nie widzi pani tej tabliczki? To miejsce dla inwalidów – grzmiała niska, szczupła kobieta w wysokich koturnach. Kalina udała zdziwienie.

– Nie zauważyłam – żachnęła się.

– Jasne, jak wszyscy, a ja nie miałam przez panią gdzie zaparkować.

– Jak to przeze mnie? – spytała obruszona.

– Pani zajęła moje miejsce parkingowe, dla inwalidów – piszczała dalej kobieta, wymachując przy tym rękami i pokazując jej swoją kartę parkingową.

– Przykro mi, ja też nie miałam gdzie zaparkować, już odjeżdżam.

– Powinnam zadzwonić na policję!

– No, widzi pani… trzeba było to zrobić. Do widzenia – rzuciła nerwowo, wsiadła szybko do auta i cofnęła. Niełatwo było wydostać się z zakorkowanego niczym Paryż parkingu.

– Co za dzień… – Kalina szeptała do siebie nerwowo. Po chwili znowu rozbrzmiał telefon, pochyliła się więc nad torebką i próbowała wydobyć z jej wnętrza nieznośnie zagłuszający jej myśli gadżet.

– Gdzie on jest? – szeptała zniecierpliwiona, ponownie pochylając się nad zawartością torebki. Nagle poczuła uderzenie. Zamarła na chwilę, wstrzymując oddech.

– Jezu, tylko nie to! – krzyknęła, a jej oczy wyrażały teraz przerażenie. Drżącymi rękami szybko odpięła pasy i pospiesznie wyszła na zewnątrz. Jej kredowobiała twarz budziła dodatkowe zainteresowanie wśród przypadkowych gapiów.

– To znowu pan?! – spytała zszokowana, pochylając się nad bezwładnie leżącym, znajomym brunetem. – O Boże! Tak mi przykro, nic panu nie jest? Chyba lepiej wezwę pogotowie… – trajkotała nerwowo, odgarniając niesforne, jasne włosy z twarzy.

– Nie trzeba… – wyszeptał po chwili znajomy. – Niech mi pani lepiej pomoże wstać – oznajmił, wyciągając w jej stronę ręce.

– Oczywiście. – Zaskoczona Kalina pociągnęła go do góry z całych sił, z ulgą stwierdzając, że poszkodowany jest cały i wygląda w miarę zdrowo. – Jestem taka nieuważna… Zadzwonił ten głupi telefon, chciałam odebrać, no i uderzyłam pana. Sama nie wiem, jak to się stało – tłumaczyła chaotycznie. – Nie zadzwoni pan na policję? – Spojrzała na niego błagalnie, a w jej oczach pojawiły się łzy.

– Po co? Przecież nic mi nie jest.

– Na szczęście! Nie darowałabym sobie…

– A jednak należało iść ze mną na kawę, sama pani widzi, że los tak chciał.

Kalina uśmiechnęła się, kręcąc głową.

– Ja nie wierzę w takie rzeczy.

– A ja przeciwnie, uważam, że to znak niebios, przeznaczenie… – Ciepło jego ciemnych oczu otulało jej zatroskaną twarz. Kalina przez chwilę nie odrywała od niego wzroku, w końcu jednak spuściła głowę.

– Zbiłam panu jaja, ale zaraz odkupię – mamrotała nerwowo, spoglądając na jajecznicę, która zdobiła teraz nagrzany do granic możliwości asfalt.

– Niech pani da spokój. To tylko jajka – zamruczał.

Kalina z zatroskaną miną stała tuż obok, bezradnie wymachując rękoma.

– Nie wezwał pan policji, więc może chociaż odwiozę pana do domu? Choć w taki sposób będę mogła się zrehabilitować – zaproponowała nieśmiało, ignorując ciekawskie spojrzenia przechodniów.

– Nie trzeba, mieszkam niedaleko, poradzę sobie.

– W takim razie chociaż zwrócę panu pieniądze za zmarnowane zakupy.

– Nie – padła tak konkretna odpowiedź, że Kalina zatrzepotała rzęsami.

– Nie? Ale dlaczego?

– Bo zamiast tego wolę wypić z panią kawę – mężczyzna rzucił bezpośrednią odpowiedź, sprawiając, że serce Kaliny przyspieszyło. Na jej twarzy pojawiły się rumieńce zakłopotania.

– Nie przeszkadza panu, że jestem mężatką?

– Dla mnie jest pani po prostu piękną kobietą... – jego głos brzmiał teraz spokojnie i ciepło. Po całym tym niefortunnym zdarzeniu nie było w nim ani cienia złości.

– W takim razie zgoda – wyszeptała – ale nie dziś... dziś naprawdę nie mogę, wieczorem mam gości i w ogóle – tłumaczyła zakłopotana.

– Jutro?

– Dobrze, jutro – oznajmiła z zadowoleniem, spoglądając na jego łagodną twarz. Kalina usiłowała sobie przypomnieć, kiedy ostatnio tak dobrze rozmawiało jej się z własnym mężem. Brunet przyglądał się jej z lekkim rozbawieniem.

– Rozmazała sobie pani tusz na lewym oku, o tu... – poinformował, po czym delikatnie dotknął jej powieki.

– Naprawdę? Dobrze, że mi pan powiedział, czasem mi się to przytrafia.

– To doprawdy urocze – oznajmił, przyglądając się, jak Kalina wyrzuca na maskę samochodu niemalże wszystko z torebki w poszukiwaniu małego lusterka w kolorze złota.

– Co takiego? – spytała z roztargnieniem.

– Pani... pani jest urocza – wyznał, szukając jej wzroku.

Kalina spojrzała na niego swoimi pięknymi, ogromnymi oczami, w których płonęły teraz tysiące gwiazd. Ten wspaniały, spokojny i miły mężczyzna obrzucał ją komplementami i sprawiał, że czuła się wyjątkowo i pięknie. W dodatku okazał się uczynny, cudowny i nieziemsko przystojny, a ona, jak wariatka, miała ochotę rzucić się w jego silne ramiona i poddać się temu. Stała naprzeciwko niego i, milcząc jak zaklęta księżniczka, rozważała to wszystko w głowie. Walczyła ze sobą, by stłamsić te myśli i narastające w jej sercu niepokojące uczucia i emocje. *To niemożliwe*, pomyślała, *musisz się ocknąć*.

– Później poszukam tego lusterka – odparła zmieszana, pospiesznie chowając rzeczy z powrotem do torebki i kryjąc niespodziewany rumieniec na twarzy. – Pojadę już – rzuciła nagle, przerywając lawinę swych szalonych myśli.

– A kawa? Przyjdzie pani jutro o szesnastej? – w jego głosie zabrzmiała nadzieja.

– Chodzi panu tylko o kawę?

– A jeśli nie tylko?

– W takim razie nie przyjdę – odparła chłodno, odwracając wzrok.

– Źle mnie pani zrozumiała, niczego się nie spodziewam. Jakimś dziwnym trafem zauroczyła mnie pani, nie umiem tego wyjaśnić, coś takiego jeszcze mi się nie zdarzyło.

– Nie wiem, czy mogę panu wierzyć. Może mówi pan to wszystkim napotkanym kobietom?

– Takie ma pani o mnie zdanie?

– A nie jest tak?

– Nie – odparł dosadnie i sięgnął po resztę ocalałych w tym niefortunnym zdarzeniu zakupów.

Kalina poczuła się niezręcznie, zrozumiała, że palnęła głupstwo. Zmieszana, zbliżyła się nieco do niego i zaczęła pomagać w zbieraniu porozrzucanych wokół artykułów.

– Przepraszam, pomógł mi pan, a ja pana potrąciłam i w ogóle... Chcę powiedzieć, że z chęcią wypiję z panem jutro kawę pod warunkiem, że to ja stawiam.

– Wyjątkowo się zgadzam – odparł. – Chyba nie lubi pani komplementów – zauważył, a na jego śniadej twarzy pojawiło się rosnące zainteresowanie.

– Nie, ja po prostu nie jestem do nich przyzwyczajona.

– Dziwne, powinna je pani słyszeć codziennie.

– W pana towarzystwie czuję się dziwnie zawstydzona.

– Niepotrzebnie...

Kalina westchnęła. Po chwili spojrzała na zegarek.

– O Boże... już ta godzina, nie wyrobię się... – zauważyła z wyrazem niepokoju na twarzy. – Naprawdę muszę już jechać, przepraszam, a to pana zakupy – dodała, podając mu pozbierane warzywa oraz to, co ocalało.

– Proszę jechać ostrożnie. – Pogroził jej palcem. – Będę jutro na panią czekał.

– Zgoda.

– Tylko proszę mnie nie zawieść, w przeciwnym razie serce pęknie mi z rozpaczy.

– Wolne żarty – Kalina zaśmiała się, otwierając drzwi auta.

– Ja nie żartuję – wyznał mężczyzna cicho.

Na chwilę ich oczy spotkały się, jakby pragnąc swego towarzystwa i bliskości. Kalina zadrżała, nigdy dotąd nie czuła się tak przedziwnie i wyjątkowo zarazem, i choć z całych sił pragnęła, by ta gra spojrzeń trwała nadal, wsiadła do samochodu, wciąż czując na sobie jego elektryzujące, pełne fascynacji spojrzenie. Usiadła za kierownicą, jednak dusza rwała się do tamtego mężczyzny, który w nawale emocji nagle wydał się jej niesamowicie bliski. Zamknęła oczy, po chwili otworzyła je i ponownie spojrzała na wciąż wpatrzoną w nią, smukłą twarz. Musiała odjechać, i to szybko, zanim wyjdzie z auta i pobiegnie w jego stronę. Z trudem odwróciła głowę i spojrzała przed siebie. Słońce bezlitośnie oślepiało ją swym blaskiem. Przekręciła kluczyk w stacyjce i po sekundzie silnik cicho zawarczał. Samochód powoli ruszył przed siebie. Kalina z ciekawością spojrzała w boczne lusterko auta, stwierdzając, że ten cudowny i tajemniczy mężczyzna nadal tam stoi i patrzy, jak ona odjeżdża.

– Kawa z nim, jutro… – szeptała do siebie, włączając lewy kierunkowskaz. – Nie mogę tam iść, to byłoby szaleństwo… szaleństwo… – powtarzała w zamyśleniu, wjeżdżając na główną drogę, prowadzącą na autostradę.

Tafla jeziora porośniętego gęstymi trzcinami pięknie błyszczała w blasku słońca. Otaczający je z jednej strony las szumiał łagodnie, wtórując śpiewom ptaków. Duży, drewniany dom o solidnej konstrukcji stał dumnie na wprost malowniczego jeziora i młodego lasu. Jego doskonała lokalizacja i sporej wielkości taras sprawiały, że właściciele mogli codziennie cieszyć oczy tym wspaniałym, urzekającym widokiem. Cisza wokół sprawiała, że można było tu zapomnieć o miejskim gwarze, ruchu i pośpiechu.

Samochód powoli wjechał na podjazd. Kalina siedziała w środku jeszcze przez chwilę i starała się ochłonąć z emocji. To niespodziewane spotkanie i zaledwie kilka zdań wymienionych z tamtym mężczyzną sprawiły, że w jednej chwili zburzona została cała jej równowaga. W dodatku w jakiś przedziwny sposób tęskniła za uważnym spojrzeniem nieznajomego, jego łagodnym i ciepłym głosem. Nie do końca wiedziała, co się z nią dzieje, może była pod wrażeniem jego uroku nastolatka, a może po prostu potrzebowała miłej odmiany, właśnie kogoś takiego, przypadkiem spotkanego. Po chwili spojrzała w samochodowe lusterko – lekko rozmazany tusz do rzęs wciąż zabawnie stroił jej oko. Zerknęła ponownie na swoje odbicie i uśmiechnęła się do siebie, dotarło do niej, że nawet nie spytała o jego imię. Miała wielką ochotę na jutrzejsze spotkanie, obiecała, że przyjdzie, jednak rozsądek podpowiadał jej, by tego nie robiła. Świadomość tego, co mogłoby się stać, potęga własnych emocji, wyczekiwanych komplementów, adoracji... Nie, do tego nie była przyzwyczajona. Siedząc tak w samochodzie, uświadomiła sobie, jak bardzo poznany mężczyzna różni się od jej męża, wiecznie zajętego, nie mającego dla nikogo czasu, człowieka w przelocie – jak go nazywała, gdy zbyt długo przesiadywał w pracy. Nagle usłyszała obok ciche pukanie w szybę samochodu.

– Mamo? Dobrze się czujesz? – głos Blanki obudził ją ze snu na jawie. Spłoszona niczym dziki ptak potrząsnęła głową.

– Tak, wszystko dobrze, dziecko – westchnęła, ukrywając swoje roztargnienie. – Dobrze, że jesteś, pomożesz mi z zakupami.

– A dużo tego? – Blanka jak zawsze marudziła, głośno ziewając.

– Dużo, twoje chipsy i cola też są ciężkie – oznajmiła stanowczo, wysiadając z auta.

– Okej, zrozumiałam aluzję, to co mam zabrać?

– Weź tę siatkę, jest lżejsza, ja wezmę pozostałe – wskazała, chwytając za pełne torby.

W domu panował porządek, jedynie w kuchni królował lekki rozgardiasz, gdyż przeważnie przebywała w niej większa część rodziny.

– Kto dziś do nas przychodzi? – Blanka była zaaferowana.

– Nie wiem, jacyś znajomi ojca.

– I znowu musisz wszystko sama przygotować?

– Jak zawsze, moje dziecko. Może mi pomożesz?

– Nie mogę, zaraz przychodzą koledzy, zapomniałaś?

– Oj, no dobrze, to już biegnij do siebie.

Blanka była śliczną, rezolutną dziewczyną, która z nastolatki powoli przeobrażała się w młodą kobietę. Od dziecka kochała jazdę na koniach. Kalina nie była tym zachwycona, jednak odpuściła, widząc, jak bardzo uszczęśliwia to jej córkę. Blanka coraz częściej wychodziła do znajomych, na imprezy, więc Kalina sporo czasu spędzała samotnie, gotując, sprzątając i oczekując na przybycie męża. Witold od dwóch lat był dumnym dyrektorem prężnie rozwijającego się banku, co lubił zaznaczać na każdym kroku. Od jakiegoś jednak czasu pieniądze i kariera stały się dla niego najważniejsze.

Kalina położyła zakupy na stole, gdy w tej samej chwili ukochane psy podeszły do niej, spoglądając błagalnie w oczy i skamląc o wodę. W kuchni panował przyjemny chłód, gdyż była ona położona w północnej części domu. Kalina stała pośrodku i spoglądając na stertę niewypakowanych jeszcze zakupów, nie wiedziała, od czego zacząć. Wieczorem miała ugościć sześć osób, oczywiście ważnych, z branży bankowej.

– Znowu się wynudzę – szeptała, wyciągając zakupy z siatek. Blady kurczak wyglądał naprawdę mizernie, więc sięgnęła do szafki z przyprawami i potraktowała go mieszanką do drobiu oraz solą i pieprzem. Potem przygotowała sałatkę grecką i czosnkowe bagietki. Pozornie pochłonięta przygotowaniami do kolacji, Kalina wciąż widziała tamtą wpatrzoną w nią, niezwykłą i frapującą twarz. Uwięziona we własnych myślach, analizowała słowa i gesty nowo poznanego mężczyzny, nie mogąc skupić się na niczym innym. W końcu nastał wieczór i przyjechał Witold. W progu domu pojawiła się wysoka i szczupła postać w ciemnym garniturze, popielatym krawacie i z teczką w ręce. Kalina nie lubiła tego widoku, ponury i służbowy ubiór męża zaczynał ją denerwować. Z markotną miną wróciła do swych kuchennych prac.

– A ty jeszcze niegotowa? – usłyszała nagle, dostrzegając zmarszczone czoło i krytyczny wzrok męża. – Myślałem, że może pójdziesz do fryzjera – zasugerował, zdejmując buty. Kalina zdziwiła się, dotychczas żyła w przekonaniu, że wygląda całkiem nieźle w swojej twarzowej blond fryzurze.

– Do fryzjera? A powiesz mi, kiedy miałabym to zrobić? Przecież musiałam posprzątać dom, pojechać na zakupy, wyjść z psami na spacer, a przez resztę dnia szykuję kolację.

– No tak, ale jednak powinnaś znaleźć chwilę i może je podciąć albo jakoś upiąć… Sam nie wiem – sugerował, wpatrując się w jej bujną fryzurę.

– Dobrze, pójdę, ale nie dziś – westchnęła, spoglądając na nienakryty jeszcze stół.

– Co dobrego przygotowałaś na kolację?

– Nic wymyślnego, kurczaka, sałatkę i ciasto.

– No to faktycznie nic szczególnego, ale jakoś ujdzie – stwierdził, ot tak, od niechcenia, podczas gdy Kalina hamowała narastającą w niej złość.

– Wiesz, następnym razem może lepiej zaproś ich do restauracji – rzuciła ostro.

– Tak zrobię.

– Super – skwitowała, zaglądając do wciąż bladego, leżącego potulnie w piekarniku kurczaka.

– Świetnie – odparł Witold poirytowanym głosem, rozpinając przy tym guziki koszuli. – Padam ze zmęczenia, więc nie sprzeczaj się ze mną, lecę teraz szybko pod prysznic. Nie wiem, czy jesteś tego świadoma, ale goście będą za godzinę – wtrącił, spoglądając niespokojnym wzrokiem na świecący pustkami stół.

– Jestem tego świadoma – rzuciła nerwowo. Kalina czuła się zmęczona i poirytowana, nie mogła sobie przypomnieć, kiedy ostatnio Witold powiedział jej coś miłego, przytulił czy pocałował.

Po prawie godzinie małżonek pojawił się w salonie, wyperfumowany, w nowej koszuli i dżinsach. Wyglądał znacznie lepiej i przyjaźniej, jednak pomimo tego nie wzbudzał już w Kalinie dawnych uczuć. Brak miłych słów i czułych gestów oraz ciągła nieobecność sprawiały, że powoli zaczynała unikać jego towarzystwa. Oboje kręcili się po kuchni, nie potrafiąc nawiązać dialogu.

– Będzie coś z tej kolacji? – Głos Witolda brzmiał niepewnie, a Kalina z ulgą zauważyła, że kurczak wreszcie się zarumienił. W kuchni zapachniało smacznym jedzeniem.

– Lepiej nakryj do stołu – zasugerowała, unikając jego wzroku. – Kręcisz się bez celu.

– Ty zrobisz to lepiej, kochanie – uśmiechnął się w odpowiedzi i usadowił wygodnie na krześle, tuż koło okna. Kalina spojrzała na stojące na stole kuchenne noże. Przymknęła oczy, licząc do dziesięciu, i skierowała swe kroki do salonu i stojącego tam starego bufetu. Sięgnęła do szuflady po piękny koronkowy obrus i talerze z pozłacanymi brzegami.

Po chwili zadzwonił dzwonek. Witold zerwał się na równe nogi i cały w skowronkach podbiegł do drzwi.

Z głębi korytarza zaczęły dobiegać nieznajome głosy. Kalina szybko zdjęła fartuch i wprawnym ruchem ręki poprawiła włosy. Właśnie skończyła nakrywać do stołu.

– O, jesteście, zapraszam serdecznie – Witold przemawiał miłym tonem. Do domu weszły trzy pary. Mężczyźni w jasnych marynarkach, w wieku Witolda, oraz ich partnerki, młode, zadbane i atrakcyjne. Kalina przywitała się ze wszystkimi, jednak trzymała się z boku. Nigdy nie czuła się dobrze ani swobodnie w towarzystwie „ludzi z branży", jak nazywał ich Witold. Ona zdecydowanie wolała swobodniejsze klimaty. Wieczór upłynął miło, jednak nieco sztywno. Kalina przez większość czasu milczała, przysłuchując się rozmowom o giełdzie, akcjach i bankach. Panie również interesował ten temat, zatem siedziała cicho, marząc o tym, by ten wieczór wreszcie się skończył. W pewnej chwili zaobserwowała, że jedna z zaproszonych kobiet podejrzanie często mruga do jej męża. Ku swemu zdziwieniu Kalina nie odczuwała zazdrości, jedynie złość, poirytowanie i jakby lekkie ukłucie rozczarowania, że jej Witold tyle nie poświęcał uwagi. O godzinie dwudziestej drugiej, gdy goście rozeszli się do domów w wesołych nastrojach, Kalina została sama w kuchni ze stertą brudnych naczyń i zmęczeniem wypisanym na twarzy.

Po godzinie wieczór wciąż urzekał swym ciepłem i urokiem, dlatego mimo późnej pory Kalina zaparzyła sobie kawę i wyszła na taras. Dziki zapach jeziora i lasu od razu dotarł do jej nosa. Cudowny rechot żab i cicha gra świerszczy wprawiły ją w melancholijny nastrój. Zmęczona i pogrążona we własnych myślach, po chwili zasnęła w rattanowym fotelu. Nadchodząca noc delikatnie otuliła jej ciało swym niewidzialnym płaszczem.

Nazajutrz rano Witold znalazł Kalinę przytuloną do tarasowego fotela.

– Kalina? Śpisz? – wyszeptał niespokojnym toncm, dotykając jej szczupłego ramienia.

– Co? – Drgnęła po chwili, przebudzając się powoli.

– Co się z tobą dzieje? Śpisz na tarasie? Od kiedy? Myślałem, że przyjdziesz do naszej sypialni.

– Nie pamiętam, byłam bardzo zmęczona i przyszłam tu wieczorem, było tak miło i cicho, że chyba zasnęłam.

– Nie chyba, tylko na pewno – oznajmił z grymasem niezadowolenia na twarzy, jednocześnie przyglądając się jej badawczo. – Dobrze się czujesz? Wczoraj wieczorem byłaś jakaś obca, dziwnie milcząca.

– Wydaje ci się – odparła, unikając jego wzroku.

– No nie wiem…

– Daj spokój, przecież nic się nie stało, to była ciepła noc.

– Martwisz mnie.

– Ja ciebie? Ale nic mi nie jest, naprawdę.

– Skoro tak mówisz… Jednak jesteś ostatnio jakaś dziwna, inna… Zamyślona.

– Co za wnikliwa analiza mojej osobowości – wtrąciła kąśliwie, kiwając głową i uśmiechając się lekko.

– Nie musisz się od razu tak złościć.

– Ja się nie złoszczę, chcę tylko odrobiny spokoju. Co chcesz na śniadanie? – spytała, umiejętnie zmieniając temat.

– Może jajecznicę? Sam nie wiem.

– No tak, dziś niedziela, czyli będzie jajecznica. – Powoli podniosła się z wygodnego fotela.

Niebieskie oczy Witolda, ozdobione modnymi oprawkami okularów w kolorze grafitu, badawczo podążały za nią.

– A ta Tola… – zaczęła nagle Kalina lekko podenerwowanym tonem, niespodziewanie spoglądając w jego stronę – …odniosłam wrażenie, że podrywała cię wczoraj wieczorem przy stole.

Witold poruszył się nagle jak spłoszony ptak.

– Co? – zaśmiał się, drapiąc się po głowie. – Wydawało ci się, kochanie, przecież to jakaś grubaska, w dodatku ruda, a ja nie cierpię rudych. A, zapomniałem ci powiedzieć, że dziś przyjeżdża do nas moja mama na kawę – oznajmił, sprytnie zmieniając temat. Kalina wyczuwała dziwne napięcie w jego głosie, jednak tylko głośno westchnęła, odpuszczając temat wczorajszego wieczoru. Faktycznie, ta Tola nie mogła być w jego typie, Witold nigdy nie lubił puszystych kobiet.

– Znowu goście? Myślałam, że dziś sobie odpocznę.

– Moja mama to nie gość.

– Nie? A kto? – Jej zdziwiona mina wyglądała zabawnie.

– Jest rodziną.

– Ale jakieś ciasto i kawę trzeba jej podać, i to, jak ją znam, nie byle jakie.

– Znowu narzekasz.

– Nie narzekam, tylko stwierdzam fakt, i wiesz co? Najlepiej, kochanie, to sam ją ugość, bo ja dziś wychodzę – oznajmiła nieoczekiwanie i zdecydowanym krokiem ruszyła w stronę tarasowych drzwi. Witold oniemiał z wrażenia.

– Jak to? Ale dokąd? Po co?

– A do fryzjera, przecież sam mi wczoraj kazałeś.

– W niedzielę? – Jego oczy wyrażały osłupienie.

– A co? Przecież mówiłeś, że źle wyglądam w tej fryzurze.

– Tego nie powiedziałem!

– A ja sądzę, że tak właśnie powiedziałeś, i dlatego idę dziś do fryzjera.

– Oszalałaś! – krzyknął niespodziewanie.

– Myśl sobie, co chcesz. Ja wychodzę, nie spędzę kolejnej niedzieli w towarzystwie twojej mamusi.

– Oszalałaś – powtarzał jak automat, zaskoczony zachowaniem małżonki, która nigdy przedtem nie protestowała przeciwko jego rodzinnym planom.

Kalina zniknęła za drzwiami. Po dłuższej chwili zjawiła się w nich ponownie, trzymając w dłoniach talerz.

– Masz tu swoją jajecznicę, a ja idę się wykąpać – rzuciła w jego stronę, stawiając śniadanie tuż przed jego nosem, po czym zdecydowanym krokiem ruszyła w stronę łazienki, zamykając się w niej na dwie godziny. Witold siedział w rattanowym fotelu z zaskoczoną miną i spoglądał na stygnącą jajecznicę, usmażoną tak, jak lubił: z cebulką, boczkiem i pomidorami.

Tymczasem Kalina, zanurzona po uszy w wodzie z pianą, studziła swoje emocje. *Znowu teściowa w niedzielę, cały dzień zepsuty*, myślała, zanurzając się cała w wodzie. I te jej ciągłe pouczenia, uwagi i niechciane rady jak i co powinna gotować, że Blanka taka blada i szczupła, pewnie niedożywiona. Tego było już za wiele. Kalina od dawna czuła się jak zwierzę w potrzasku, bez odrobiny swobody i chwili dla siebie. W dodatku jej myśli niczym polne motyle ustawicznie uciekały do poznanego wczoraj mężczyzny. Nie wiedziała jeszcze, jak to zrobi, ale po wczorajszym nieudanym wieczorze z Witoldem postanowiła jednak pójść na umówione spotkanie.

– To tylko kawa – powtarzała te słowa jak mantrę i powoli niczym piękna syrena wynurzyła się z wanny. Wytarła mokrą, pachnącą owocami granatu skórę, upięła włosy w wysokiego koka i powolnym ruchem ręki przetarła dłonią po zaparowanej tafli lustra. Spojrzała na swoje odbicie, na smutną, zmęczoną twarz i lekko podkrążone oczy. Sięgnęła do kosmetyczki z przyborami do makijażu. Nagle zapragnęła wyglądać kobieco i pięknie, dlatego starannie nałożyła na twarz podkład w tonacji swojej delikatnej, jasnej skóry. Przypudrowała lekko twarz tak, by nie błyszczała; zgrabnym ruchem ręki wymalowała dwie idealne, czarne kreski tuż nad rzęsami, które starannie pomalowała tuszem. Ponownie spojrzała w lustro; jej twarz nabrała teraz wyrazu i niepospolitego uroku, policzki zaróżowiły się, a intensywnie zielone oczy błyszczały niecodziennym blaskiem. Przeczesała szczotką włosy, które zalśniły odcieniem złotej, skąpanej w promieniach słońca słomy. Gdy była już zadowolona ze swojego wyglądu, powoli przekręciła klucz w drzwiach i wyszła z łazienki, przechodząc prosto do znajdującej się obok sypialni. Niespodziewanie ogarnęło ją jakieś dziwne szaleństwo, nagle była gotowa uciec stąd daleko, zapragnęła wolności i innego, nieznanego życia. Czuła każdą cząstką siebie, że coś się w niej przez te wszystkie lata wypaliło, a wewnętrzny spokój, który jej dotąd towarzyszył, opuścił ją na dobre. Kalina siedziała teraz na wielkim drewnianym łóżku i zastanawiała się, co na siebie włożyć, gdy nagle w drzwiach sypialni pojawiła się Blanka.

– Dobrze się czujesz, mamo? – W oczach córki malowało się niekryte zdziwienie.

– Tak, dobrze.

– Podobno dziś przychodzą dziadkowie na kawę, ale nudy… – westchnęła, głośno zicwając.

– Tak, wiem – odparła Kalina nieobecnym głosem.

– Nie cieszysz się?

– Przychodzą do nas dość często… Przebierz się, wyprasowałam ci tę ładną białą sukienkę.

– Nie chcę, wiesz, że wolę spodnie.

– Jak chcesz, w końcu jesteś już prawie dorosła, sama zdecyduj, ale uważam, że ładnie ci w tej sukience. – Kalina podeszła do Blanki i delikatnie musnęła jej długie, ciemne włosy, zaczesane tuż nad karkiem w kitę. Blanka poza pięknymi, zielonymi oczami w niczym nie przypominała swojej matki, urodę odziedziczyła po ojcu.

– Wychodzę na chwilę… Umówiłam się ze znajomymi – oznajmiła dziewczyna niespodziewanie, uśmiechając się promiennie.

– A z kim dokładnie?

– Oj, mamo…

– Mam prawo wiedzieć, z kim się umawiasz. Masz chłopaka, prawda? – Kalina spojrzała na córkę przenikliwie, od dawna podejrzewając, że Blanka ma kogoś bliskiego.

– Wiem, że go nie polubisz.

– To nieprawda, po prostu nie znam go… i martwię się.

– Niepotrzebnie.

– A jednak się martwię. A te twoje koleżanki… Wyglądają, jakby miały po dwadzieścia lat, te stroje i makijaże…

– Oj, mamo, nie znasz się, teraz wszyscy się tak ubierają.

– Nie sądzę. Nie chcę, byś się z nimi zadawała, to nie są znajomi dla ciebie.

– Nie możesz mi zakazać, na jakim ty świecie żyjesz? – Blanka rzuciła jej poirytowane spojrzenie, marszcząc znacząco swe jasne czoło, i bez słowa opuściła pokój.

– Blanka! Zaczekaj! – Kalina wyszła za nią, jednak usłyszała tylko trzask zamykanych drzwi od domu.

– Cudownie – wycedziła do siebie przez zęby i zeszła na dół, do kuchni.

Kalinie zdawało się, że panuje tu przytłaczająca cisza, jednak wsłuchując się w nią uważnie, dało się usłyszeć mącący ją hałas. Dobiegający gdzieś z tarasu uniesiony głos Witolda wzbudził jej zainteresowanie. Kalina podeszła bliżej. Po chwili dostrzegła, jak Witold rozmawia przez telefon, gestykulując przy tym gwałtownie, a gdy ją zauważył, zmieszał się, unikając jej wzroku. Ze zdenerwowaniem wypisanym na twarzy natychmiast przerwał rozmowę. Schował szybko telefon do kieszeni spodni i wszedł do kuchni, chrząkając głośno.

– Już się wykąpałaś? – spytał, gładząc ręką włosy. Jego oczy badawczo lustrowały odmieniony wygląd Kaliny. Na jego twarzy malowało się widoczne zakłopotanie, które dość nieudolnie próbował zakamuflować. Kalina natychmiast dostrzegła tę zmianę, jednak nie znała przyczyny jego dziwnego zachowania. Dawniej się tak nie zachowywał, dawniej podszedłby do niej i serdecznie przytulił, pytając, co będzie na obiad. Dziś już tak nie robił, a Kalina świetnie wyczuwała, że coś między nimi nie gra.

– Z kim rozmawiałeś? – Spojrzała na niego swymi zielonymi, pełnymi smutku i podejrzeń oczami.

– Z nikim.

– Jak to? Przecież słyszałam, że z kimś rozmawiasz.

– A, to… to był kolega z pracy.

– Dziwne, służbowa rozmowa w niedzielę?

– A co to za przesłuchanie?

– Mylisz się, po prostu widziałam, że jesteś zdenerwowany, dlatego pytam.

– Wydawało ci się, kochanie. Zrobisz mi kawy? – Witold próbował się przymilać zawsze, gdy było mu to na rękę, potrafił wówczas być świetnym aktorem. Dawniej Kalina oddałaby za niego życie, to była miłość jak z bajki, dla niego i dziecka zrezygnowała ze swoich marzeń i kariery wybitnej, dobrze zapowiadającej się pianistki. To za jego namowami zgodziła się zrezygnować ze studiów, by prowadzić dom i wychowywać dziecko. Dziś, po tych wszystkich wspólnie spędzonych latach, nie dałaby się na to ponownie namówić.

– Chcesz kawy? – spytała jak wyrwana z letargu. – Może lepiej sam sobie ją zrób, ja uszykuję coś na obiad, a potem wychodzę po ciasto.

– Nie ma takiej potrzeby, już kupiłem, gdy brałaś kąpiel, a wyjść to miałaś chyba do fryzjera? – Jego podejrzliwy wzrok i uniesione czoło wyrażały zaskoczenie.

Kalina pragnęła jeszcze raz spotkać tamtego mężczyznę, jednak teraz zamarła, czując, że jednak nie zdoła dziś wyjść z domu.

– Ale ja muszę wyjść, tylko na godzinę – zaczęła dziwnie drżącym głosem, bojąc się, że za chwilę wybuchnie płaczem.

– Żartujesz? Mówisz, jakbyś umówiła się na jakąś tajemniczą randkę – zażartował, uśmiechając się do siebie pod nosem.

– Po prostu muszę wyjść.

– Coś kręcisz.

– Daj mi już spokój, nigdy się nie interesowałeś gdzie i z kim wychodzę.

– I może to był mój błąd.

– To już twoja sprawa i nie wiem, co insynuujesz, ale to śmieszne.

– Racja, przecież ty nigdy byś mnie nie oszukała ani nie zdradziła, tego jednego mogę być pewny – stwierdził nagle i po chwili wyszedł na korytarz, wołając psy. Kalina odczuła nagłe zwątpienie. Czy aż tak źle wyglądała, że nie znalazłaby adoratora, czy może jest tak słaba i uległa, że Witold tkwi w przekonaniu o tym, że ona i tak zostanie w domu? Żadna z tych odpowiedzi jej nie zadowalała.

– No i jak ja się teraz wymknę na to spotkanie? – szeptała, a w jej oczach można było teraz dostrzec wyraz zmartwienia, wręcz podłamania. Spojrzała na zegar wiszący na ścianie, dochodziła godzina czternasta. Zostały jej niecałe dwie godziny, najgorsze, że na piętnastą zapowiedzieli się teściowie. Obiad podała na czternastą trzydzieści. Dopiero gdy skończyli jeść, do domu zawitała radosna Blanka, oświadczając, że jest głodna.

– Obiad już był – oznajmiła stanowczo Kalina, zmywając naczynia.

– Ale zawsze mi odgrzewałaś.

– Już nie będę tego robiła, jesteś prawie dorosła, wiesz, że w niedzielę obiad jest wcześniej.

– To mam być głodna?

– Lepiej mi powiedz, dokąd wyszłaś.

– To moja sprawa!

– Nie, dziecko, dopóki tu mieszkasz, mam prawo wiedzieć co i z kim robisz. – Spojrzenie Kaliny zdradzało niepokój o córkę. Blanka spuściła wzrok.

– Byłam u mojego chłopaka.

– Rozumiem, wreszcie nastała chwila prawdy. A kiedy go poznam?

– Nie wiem.

– Zaproś go, niech przyjdzie kiedyś na herbatę i ciasto, dobrze?

– Spytam.

– Nie, Blanka, albo go poznam, albo nie będziesz się już z nim spotykała, czy to jasne?

– Daj mi wreszcie spokój, przestań mi rozkazywać! – krzyknęła w złości dziewczyna, lecz Kalina pozostawała nieugięta.

– Masz czas do końca przyszłego tygodnia, mówię poważnie.

– I co mi zrobisz?

– Jeśli będzie trzeba, to zamknę cię w domu – nie odpuszczała.

– Jesteś beznadziejną matką! – krzyknęła Blanka z całych sił i pobiegła na górę, trzaskając drzwiami od swego pokoju tak, że mało drzwi nie wyleciały z futryny.

Kalina poważnie niepokoiła się o córkę. Od kiedy Blanka poznała nowego chłopaka, wciąż znikała z domu na długie godziny, a miała się uczyć. W dodatku ostatnio w żaden sposób nie potrafiły się dogadać, a większość ich rozmów kończyła się kłótnią.

Po chwili w kuchennych drzwiach pojawił się Witold. Z poważną miną spoglądał na żonę.

– Co to były za krzyki? – W jego wzroku pojawiła się złość i zniecierpliwienie. – Chciałem trochę odpocząć.

– Nasza córka ma chłopaka, ciągle u niego przesiaduje, w dodatku nie chce wyznać, kim on jest. Czy to wystarczający powód do niepokoju?

– Jest młoda.

– No właśnie. I naiwna! Zrób coś może i porozmawiaj z nią, proszę – naciskała z uporem. – Martwię się o nią.

– Ty z nią nie umiesz porozmawiać?

– Ostatnio jakoś nie.

– Mam z nią rozmawiać o chłopakach?

– A dlaczego nie? – spytała zdziwiona. – Choć raz zachowaj się jak ojciec.

– Ten przytyk nie był konieczny.

– Nie? A to przepraszam, po prostu nigdy cię nie ma w domu i zawsze wszystko spada na moje barki, a to nie jest miłe uczucie, mój drogi.

Witold dostrzegł ledwo uchwytny wyraz zmęczenia w jej oczach.

– No dobrze, spróbuję, ale niczego nie mogę obiecać.

– Choć spróbuj, ale delikatnie, dobrze?

– Zgoda, ale zrób mi wreszcie tę kawę.

– Dobrze – uśmiechnęła się do niego łagodnie. O ile łatwiej by było, gdyby Witold zechciał dzielić z nią trudy wychowawcze i bardziej angażował się w sprawy domowe. Jednak on zawsze pochłonięty był własną wygodą i karierą. Jego aspiracje zawodowe zaprowadziły go daleko, jednak największą cenę zapłaciła za to Kalina. Już dawno temu odcięli się od niej dawni znajomi ze szkoły; oni pokończyli studia, zrobili kariery, a Kalina, od kiedy to wszystko rzuciła, nie rokowała, wypadła z obiegu – jak to zgrabnie kiedyś podsumował jeden z jej kolegów.

Nastawiła czajnik z wodą i ponownie spojrzała na zegar, zbliżała się piętnasta. Wygładziła ręką jasną spódnicę zgrabnie otulającą jej szczupłą kibić i sięgnęła do szafki po serwetę na stół. Następnie podeszła do drzwi tarasu i rozsunęła je, wpuszczając tym samym do mieszkania ciepłe, pachnące lasem powietrze. Ze względu na cudowną pogodę postanowiła przyjąć gości na tarasie. Drewniana podłoga lekko zaskrzypiała pod naporem jej ciężaru. Kalina zdecydowanym ruchem rozłożyła białą serwetę, która ozdobiła blat drewnianego, okrągłego stołu. Po chwili rozłożyła resztę nakryć i wszystko czekało już gotowe na przybycie gości. Kalina rozejrzała się wokoło i powoli podeszła do mosiężnej, zdobionej kształtami kwiatów balustrady, radując oczy cudownym i błogim widokiem natury. W sercu odczuwała jednak niepokój, wiedziała, że powinna już wyjść z domu, jeśli ma zdążyć na spotkanie. Przeczuwała jednak, że to się nie uda, numer z ciastem i fryzjerem nie przeszedł, a ona nie miała ochoty na kolejną rodzinną kłótnię. W dodatku po chwili zadzwonił dzwonek do drzwi.

– Są wcześniej niż powinni – wyszeptała, z niepokojem spoglądając w kierunku salonu. W jej głosie brzmiała udręka, przez chwilę była na siebie zła, że nie postawiła na swoim i po prostu nie wyszła z domu. Wszystko w niej wyrażało teraz bunt i zmęczenie. Z niechęcią wypisaną na twarzy ruszyła w kierunku salonu.

Nasturcja i Cyprian – jej teściowie. Kalina za każdym razem, gdy ich widziała, zastanawiała się, czym kierowali się ich rodzice, nadając swoim dzieciom takie imiona.

Oboje stali w progu, ze sztucznymi, wyuczonymi uśmiechami przyklejonymi do twarzy. Stukot wysokich obcasów Nasturcji roznosił się echem w całym domu, a zapach perfum Cypriana przyprawiał swą intensywnością o istny ból głowy.

– Witaj, kochana moja synowo, jak zawsze musieliśmy się naczekać, zanim nas powitasz – padło stwierdzenie z ust kobiety, zamiast zwyczajnego „dzień dobry".

– Dzień dobry, mamo. – To ostatnie słowo z trudem przechodziło przez gardło Kaliny. – Miło was widzieć – oznajmiła, ignorując jej uszczypliwości.

– A gdzie mój syn? Czy on tu jeszcze w ogóle mieszka?

– Jeszcze tak – odcięła się Kalina, co wywołało natychmiastową reakcję łańcuchową.

– No wiesz, mówisz tak, jakbyście się rozwodzili, czyż nie, mój drogi? – Nasturcja spojrzała na bladego, mizernie wyglądającego małżonka o oczach przypominających sennego kota Garfielda z kreskówki dla dzieci.

– Co mówiłaś, moja droga? – spytał ospale.

– Już nic, już nic. – Machnęła nerwowo rękami w jego stronę.

Witold pojawił się po chwili, wywołując na teatralnie upudrowanej twarzy swojej matki dziką euforię.

– Mój synuś! – Podbiegła do niego i zaczęła obcałowywać. Twarz Witolda naznaczona była teraz licznymi śladami pomadki w odcieniu krwi.

– Och, pomalowałam cię – chichotała, próbując zetrzeć szminkę z jego twarzy. Kalina przyglądała się temu z niekrytym rozbawieniem, od lat wyglądało to tak samo.

– A gdzie moja wspaniała wnuczka? – dopytywała teściowa, niecierpliwie rozglądając się na boki.

– Dziś ma kiepski dzień – zaczął Witold. – Chyba śpi – dorzucił, spoglądając ukradkiem na Kalinę.

– Coś takiego… – odparła oburzona Nasturcja, uśmiechając się ironicznie. – No cóż, skoro tak została wychowana, nic dziwnego, że śpi, podczas gdy w domu są goście.

– Dajmy jej spokój – wtrąciła Kalina. – Nie jest już małą dziewczynką. – Witold głośno chrząknął, jak zawsze, gdy nie potrafił wyjść z opresji obronną ręką. Nasturcja kiwała głową i z niezadowoloną miną ciężko sapała.

Po chwili wszyscy przeszli na taras. Kalina ukradkiem spojrzała na zegar, dochodziła piętnasta trzydzieści. Westchnęła głęboko i spojrzała zamyślona przed siebie.

– Kochanie! – zawołał Witold niespodziewanie miłym i uprzejmym tonem. – Czy przyniesiesz nam kawę i ciasto?

Wyrwanej z zamyślenia Kalinie wydawało się, że jego głos dochodzi z dalekich zaświatów. Spojrzała na niego nieobecnym wzrokiem.

– Tak, już niosę – odparła cicho po chwili konsternacji i odwróciwszy się, poszła do salonu. Sięgnęła do szafki i wyjęła posrebrzaną tacę, którą dawno temu dostała w posagu od swojej babci. Nagle poczuła się dziwnie i nieswojo, miała wielką ochotę rzucić to wszystko i uciec daleko stąd. Z rozczarowaniem spoglądała na przybyłych gości i zrozumiała, że z jej dzisiejszego spotkania nic już nie wyjdzie. Rozmarzona zastanawiała się, czy tamten mężczyzna czeka na nią. Co by jej powiedział? Po chwili jednak otrząsnęła się, zostawiając za sobą gorycz rozczarowania niespełnionymi planami. W końcu takie było jej życie, samotne, lecz dostatnie, ostatecznie nie było złe. Od dawna pozbawiona swoich marzeń i pragnień, z tacą w rękach, na której stała świeżo zaparzona kawa i ciasto, powoli ruszyła w stronę tarasu.

Kawiarniany niedzielny gwar trwał od samego rana, nowi goście wchodzili i wychodzili, zamawiali pyszne ciasta i aromatyczną kawę. Tylko jeden z nich już od dłuższego czasu cierpliwie siedział przy małym stoliku, popijając łagodną cappuccino. Śniady, przystojny brunet sprawiał wrażenie zadumanego, lecz faktycznie rozglądał się dyskretnie wokół, co chwilę zerkając w stronę głównego wejścia. Po chwili odstawił filiżankę z kawą i przeczesał dłonią lekko rozmierzwione, kruczoczarne włosy. Zaczynał czuć się niezręcznie, bowiem kelnerka już kilkakrotnie pytała, czy coś jeszcze podać do stolika.

– Proszę pana – zaczęła cicho, jakby nieśmiało – niedługo zamykamy.

– Naprawdę? No cóż... rzeczywiście już późno. – Ukradkiem spojrzał na zegarek. – Rachunek, proszę – rzucił zaskoczony, opuszczając smutno głowę. Dochodziła osiemnasta. *Ona już nie przyjdzie*, pomyślał i sięgnął do kieszeni spodni po portfel. Młoda, śliczna kelnerka, z włosami związanymi w zgrabny kok, pojawiła się po chwili ponownie, z rachunkiem w ręce.

– Proszę. – Położyła paragon na stoliku.

– Ile płacę?

– Dwadzieścia pięć złotych, za dwie kawy – poinformowała miłym głosem, delikatnie unosząc kąciki ust.

– Proszę, reszty nie trzeba.

Mężczyzna powoli wstał od stolika i zasunął za sobą krzesło. Jako ostatni gość opuścił włoską kawiarnię, po czym założył na głowę słomkowy kapelusz z ciemną wstążką przewiązaną wokół ronda i wyszedł na zewnątrz budynku. Dziś żar nie był już tak wielki. Mężczyzna stanął tuż przy wejściu, ostatni raz rozglądając się dokoła, po czym westchnął cicho i, pogrążony we własnych myślach, udał się przed siebie. Na jego śniadej twarzy malowały się smutek i rozczarowanie.

Kolejne dni i tygodnie upływały Kalinie wciąż na tych samych czynnościach. Zakupy, porządki, gotowanie, wyprowadzanie psów, nieznośne wizyty teściowej, bezowocne próby nawiązania kontaktu z Blanką, i tak w kółko. Podczas robienia kolejnych zakupów w markecie Kalina spoglądała czasem w stronę włoskiej kafejki, snując domysły, czy tamtego dnia jej wybawca czekał na nią przy jednym ze stolików. Miała cichą nadzieję, że być może spotka go gdzieś w tłumie obcych, zabieganych ludzi, jednak los bywa czasem niemiłosiernie przewrotny. W końcu przestała się łudzić.

Któregoś dnia, znów stojąc w kolejce do kasy, Kalina uświadomiła sobie, że jeśli sama czegoś nie zmieni, to jej życie już zawsze będzie tak właśnie wyglądało. Samotnie spędzane dni, bez sensownego zajęcia, rozwijania swoich zainteresowań i urzeczywistniania marzeń. *Nierokująca kura domowa*, pomyślała z przerażeniem, czekając na swoją kolejkę.

– Wykłada pani te zakupy czy nie? – usłyszała pretensjonalny ton kasjerki, która nerwowo gestykulowała rękami. – Słyszy mnie pani?

– Tak, przepraszam, zamyśliłam się. – Kalina poczuła się głupio, przez chwilę odpłynęła myślami gdzieś daleko.

– Kobiety… – usłyszała za plecami niezadowolony głos starszego pana, pełen ironii i współczucia dla słabej płci. Kalina z podniesioną wysoko głową postanowiła zbagatelizować zaczepkę, choć najchętniej walnęłaby go prosto w pysk. Spojrzała tylko za siebie, niby przypadkiem. Mężczyzna koło pięćdziesiątki śmiał się jej prosto w twarz.

– Co za palant – wyszeptała, pakując kolejne zakupy do siatki. Tym razem wzięła ze sobą solidną torbę, z materiału.

– Ile płacę? – rzuciła pytanie w stronę wciąż nadętej kasjerki.

– Sto pięćdziesiąt trzy złote.

– Proszę – położyła blankiet dwustuzłotowy, po czym schowała do portfela resztę. Chwytając za ciężkie siatki, powoli ruszyła w stronę wyjścia. Nagle niespodziewanie poczuła czyjś dotyk na ramieniu. Z nadzieją w oczach szybko odwróciła głowę. Zaskoczona, choć nie do końca zadowolona, uśmiechnęła się radośnie.

– Kalina! – usłyszała głos dawnej koleżanki ze szkoły muzycznej, największej plotkary i dawnej zazdrośnicy jej talentu.

– Beata? Co ty tu robisz?

– Przyjechałam niedawno do Polski, mieszkam tu niedaleko, a ty? Widzę, że chyba często tu bywasz? – Koleżanka obrzuciła ją miłym, choć lustrującym od stóp do głów spojrzeniem.

– Tak, często robię tu zakupy. A ty… och, jesteś taka ładna i elegancka! – Nie dało się nie zauważyć szykownych butów na koturnach, pięknej, klasycznej sukienki i wspaniałej fryzury. Kalina poczuła się przy niej nieswojo, w klapkach i luźnych spodniach nie wyglądała zbyt szykownie, a raczej domowo.

– Cóż, właśnie wróciłam od fryzjera, spieszysz się? Bo jeśli nie, to porywam cię na kawę, tak dawno się nie widziałyśmy, koniecznie musimy poplotkować.

– No, nie wiem... – Kalina próbowała uwolnić się od jej towarzystwa.

– Zgódź się, zdążysz jeszcze ugotować obiad mężusiowi – rzuciła dosadnie, a na jej wypielęgnowanej twarzy pojawił się uśmiech. Kalina westchnęła. Od dawna brakowało jej babskich pogaduszek, więc po krótkim namyśle szybko dała się przekonać.

– Właściwie to czemu nie. Córka uczy się do egzaminów u koleżanki, a mąż jak zawsze jest w pracy. Zgoda.

– Wspaniale, więc chodźmy.

Włoska kawiarenka urządzona była gustownie i ze smakiem. Kalina uważnie rozglądała się wokół, to tutaj miała spotkać się z tamtym mężczyzną. *Było, minęło*, pomyślała z lekką goryczą i żalem.

– To co u ciebie, kochana? Czym się teraz zajmujesz? – Świdrujące oczy koleżanki z ciekawością przeszywały ją na wskroś.

– Prowadzę dom – zaczęła cicho, popijając mały łyk kawy.

– Żartujesz? Tylko tyle? A co z tobą? Miałaś największy talent z nas wszystkich do grania na tym przeklętym fortepianie. Dlaczego tak po prostu zrezygnowałaś?

– Daj spokój, Beata, to dawne dzieje.

– Może i dawne, ale jeszcze dziś pamiętam, jak pięknie zagrałaś *Sonatę Księżycową*.

Zielone oczy Kaliny nabrały intensywnego blasku, niespodziewanie młodzieńcze wspomnienia ożyły.

– Wiesz, że nie grałam jej już kilka długich lat?

– Dlaczego? Nie rozumiem, masz do tego wyjątkowy talent, dziewczyno.

– Cóż, tak wyszło… Miłość, ciąża, małżeństwo, dom…

– Rozumiem te wszystkie pierdoły, ale czy nigdy nie chciałaś wrócić do grania?

– Może i chciałam, ale nie mam ukończonej szkoły, nikt mnie nie zatrudni.

– Hm… Może ja będę mogła ci jakoś pomóc, o ile zechcesz.

– Nie myślałam o tym jeszcze na poważnie.

– Rozumiem, że chcesz kolejne czterdzieści lat swojego życia spędzić na robieniu zakupów w tym markecie, gotowaniu mężowi i praniu jego śmierdzących skarpetek? – Bcata zawsze była bezpośrednia i do bólu szczera. Być może z tego powodu nie cieszyła się zbyt wielkim gronem przyjaciół. Kalina spojrzała na nią z wyrzutem, jednak świetnie wiedziała, że ma rację.

– Zaprzepaściłaś swój talent! Czy wiesz, jak ja ci go zazdrościłam? Wszyscy chcieli cię mieć, mogłaś zrobić wielką karierę. Dziewczyno, ty masz grę we krwi! Zresztą sama świetnie wiesz po kim.

– Ale mi dałaś do wiwatu… – Kalina spoglądała na nią z miną zbitego psa.

– Powiedz mi, że jesteś szczęśliwa, spełniona, że się rozwijasz, a natychmiast dam ci spokój. – W oczach Beaty dostrzec można było stanowczość, a jej poważne spojrzenie wyczekiwało odpowiedzi.

Kalina milczała, wbijając wzrok w mały kawiarniany stolik.

– No właśnie, od razu wiedziałam, gdy tylko na ciebie spojrzałam, masz to wypisane na twarzy.

– Czyli co?

– Chodzące nieszczęście – rzuciła dobitnie.

Kalina dalej milczała, przytłoczona usłyszaną prawdą, której tak bardzo unikała i oddalała od siebie co dnia.

– Nie wszystko jest takie złe w moim życiu.

– Zrozum, Kalina, ty jesteś inna, wyjątkowa, jesteś jak kolorowy ptak, masz rzadko spotykany talent, a dałaś się zamknąć w kuchni przy garach. Wituś ci to zrobił? On cię do tego namówił?

– Tak wspólnie ustaliliśmy.

– Jasne… Kalina, nie gniewaj się, ale ja go znam, to egoista, jak większość z nich, czyli mężczyzn. Rozwodziłam się trzy razy i do dziś nie jestem szczęśliwa, a wiesz czemu? Bo każdy z moich kolejnych mężów próbował przerobić mnie według swojego uznania, miałam być kurą domową, potem modelką, później jeszcze cichą i potulną kobietką. Ale ja taka nie jestem, dlatego aż tyle razy się rozwodziłam.

– Czemu więc aż tyle razy wychodziłaś za mąż, skoro wszyscy mężczyźni są tacy okropni?

– Bo się łudziłam, kochałam, ufałam, wierzyłam, że teraz będzie inaczej, jak każdy z nas po prostu szukałam miłości.

– Grasz? – Na twarzy Kaliny malowało się wzruszenie i rosnąca sympatia do Beaty, pomimo, a może dzięki prawdzie, którą jej pokazała.

– Gram, ale dla najbliższych, czasem małe koncerty. Dla przeżycia stałam się prawdziwą *businesswoman*, zaraził mnie tym mój ostatni mąż.

– Serio? A co to za interesy?

– Nigdy nie zgadniesz – zaśmiała się.

– Znając ciebie, na pewno będzie to zaskoczenie.

– Mam wydawnictwo.

– Wydawnictwo? Jakie?

– Książkowe.

– I to się opłaca? W Polsce? Sądziłam, że ten rynek podupada.

– Otóż nie, kocham tę pracę, dajemy szansę młodym, nieodkrytym talentom.

– Cudownie.

– Prawda? – westchnęła z przejęciem. Na chwilę ich oczy spotkały się, jakby w porozumieniu dusz.

– Więc jak będzie, chcesz pracować? Wyrwać się z domowych pieleszy? – Beata nie ustępowała.

– A jeśli tak? – W głosie Kaliny zabrzmiała nadzieja, a jej serce z przejęcia waliło teraz jak dzwon.

Beata uśmiechnęła się i sięgnęła po torebkę. Otworzyła ją zgrabnym, kocim ruchem, i po chwili wyjęła z niej wizytówkę.

– Proszę. – Położyła małą karteczkę tuż pod nosem Kaliny.

– Prywatna szkoła muzyczna?

– Tak, a co?

– Nie zatrudnią mnie, nie mam szans.

– Jak tylko im zagrasz, to zaraz cię zatrudnią, to młoda szkoła, szukają wykładowców, nauczycieli, powinnaś tam pójść. Możesz powołać się na mnie, znam tam kilka osób.

– Pomyślę nad tym.

– Nie myśl, to czasem szkodzi i niepotrzebnie miesza w głowie, po prostu zrób to, dziewczyno!

Kalina poczuła dreszcz podniecenia i emocji rozchodzący się powoli po jej ciele. Jej piękne, błyszczące zielone oczy ożywiły się, zdradzając aprobatę. W sercu Kaliny zagościła nadzieja.

– Przepraszam, ale muszę już iść – stwierdziła Beata i gwałtownie poderwała się od stolika.

– Ja też.

– Obiad?

– Obiad, córka, psy... – Kalina westchnęła, pochylając się po wypełnione po brzegi torby.

– Obiecaj mi, że pomyślisz czasem tylko o sobie, jak zwykła, wredna egoistka, nawet jeśli miałoby to kogoś zaboleć bądź zdenerwować. Proszę, bądź egoistką.

Kalina objęła ją czule i pocałowała w pachnący wytwornymi perfumami policzek.

– Dziękuję, Beata.

– Podziękujesz później. Gdy dostaniesz tę pracę, zadzwoń do mnie, wypijemy razem szampana – zadecydowała. – Tu masz moją firmową wizytówkę, obiecaj, że się odezwiesz.

– Obiecuję.

– Pamiętaj, bądź egoistką i zawalcz o siebie, to twoja szansa! – Beata dotknęła jej dłoni na pożegnanie, po czym zniknęła w tłumie. Kalina wciąż stała przy stoliku i, spoglądając na podarowaną wizytówkę, czuła, że jej dotychczasowy świat zacznie się wreszcie zmieniać.

Pokój Witolda, dumnego dyrektora banku, urządzony został skromnie, choć ze smakiem. Ściany w kolorze jasnej oliwki współgrały z jasnym kolorem mebli. On sam, ubrany w elegancki garnitur i koszulę w niebieskie paski, wyglądał poważnie i odpowiedzialnie.

– Pani Tolu, proszę przynieść mi kawę – rzucił służbowym tonem przez słuchawkę, przybierając przy tym bardzo poważną minę. Jego gość, dawny przyjaciel ze szkoły, odwiedził go zupełnie nieoczekiwanie, od godziny namawiając do wspólnych interesów.

– Słuchaj, Witold, jeśli nie chcesz, to nie wchodź w to, ale uważam, że zrobisz błąd. To czysta sprawa. – Krzysztof Zagórski był rosłym, tęgawym mężczyzną, z lekkimi zakolami na głowie i małymi, sprytnymi oczami.

– Cóż, stary... Zaskoczyłeś mnie tą propozycją, muszę się zastanowić, to poważne pieniądze, sam chyba rozumiesz. – Witold, pełen wątpliwości, ostentacyjnie drapał się po głowie.

– Oczywiście, tylko nic myśl bez końca, bo znajdę kogoś innego. – Krzysztof uśmiechnął się do niego z lekkim grymasem.

– To spore ryzyko, masz już jakichś wspólników?

– Jednego. To kolega z Niemiec, wyłożyłby sześćdziesiąt procent nakładu, czyli potrzebną większość.

– A resztę my?

– No tak, po dwadzieścia procent.

– A co, jeśli on się nagle wycofa? Stracimy wszystko.

– Wycofa? Nigdy – zapewnił. – To pewny gość, mój najlepszy przyjaciel.

– No nie wiem, to ma być spore osiedle mieszkaniowe, ile musiałbym wyłożyć? – Witold chrząknął głośno, gdy po chwili weszła sekretarka, zgrabnie niosąc tacę z kawą i cukrem. Mrugnęła do Witolda figlarnie, postawiła tacę na stoliku i, kręcąc ponętnymi biodrami, ruszyła w stronę drzwi.

– Czy coś jeszcze podać, szefie? – spytała, rzucając jedno ze swoich wyćwiczonych, chwytliwych spojrzeń.

– Nie, to wszystko, dziękuję, możesz wrócić do swoich obowiązków – odparł stanowczo, unikając jej natarczywego spojrzenia.

– Ładna – stwierdził Krzysztof, gdy zamknęła za sobą drzwi.

– Tak, jest bardzo przydatna – skwitował Witold, wyraźnie zaaferowany otrzymaną propozycją.

– Wracając do naszej rozmowy, wyszłoby po jakieś, hm… trzysta tysięcy na głowę.

– Sporo, sporo – chrząknął głośno Witold, sięgając po porcelanową cukierniczkę.

– Ale za to jaki zysk w najbliższej perspektywie! To wspaniała szansa na zbicie szybkiej fortuny, jak tylko nasze osiedle powstanie, pieniądze zwrócą się z zyskiem.

– Nie wiem, nie mam aż takiej gotówki…

– Stary, a czy myślisz, że ja mam? Wziąłem kredyt, bo uważam, że warto, resztę dołożyłem z oszczędności, nieźle zarabiamy z żoną, zresztą dorobiłem się niezłej fortunki w Szwajcarii, więc dla mnie to nie jest problem.

– Rozumiem. No cóż, mam dom, zawsze mogę wziąć pożyczkę pod hipotekę, zresztą, pieniądze szybko się zwrócą, jak mówisz.

– Dokładnie! W identyczny sposób zarobił Hans, mój przyjaciel z Niemiec, o którym już ci wspominałem. Nie miał nic, gdy zaczynał. Kupił nędzną, podmokłą ziemię za śmieszne pieniądze, wszyscy stawiali na nim krzyżyk. A on miał głowę na karku, podsypał ziemię, nawiózł gliny, wyrównał i sprzedał za taką kasę, że głowa boli.

Dziś stoi tam wspaniałe osiedle i szkoła. Hans obecnie jest właścicielem dwóch firm budowlanych, a zaczynał od zera. Tak dziś się robi interesy, sprytem i odwagą, stary. – Krzysztof przekonywał go, kiwając głową.

– Co racja, to racja, dam ci znać. Ogólnie wchodzę w to, ale najpierw chciałbym poznać tego twojego wspólnika, Hansa.

– To będzie trudne, on jest na stałe w Niemczech, sprowadził tam swoją rodzinę, w Polsce w ogóle nie bywa.

– Ale ma tu interesy.

– Tak, ale ma od tego ludzi. – Krzysztof uśmiechnął się do niego szeroko i poklepał po ramieniu. – Widzę, że jako dyrektor banku mało wiesz o szerszych biznesach

– Cóż, taka branża.

– Dziś trzeba się wszystkim interesować. Takie życie, stary.

– Racja.

– Więc?

– Więc skoro ręczysz za tego Hansa, to zgadzam się. Grywam też trochę na giełdzie, dlatego zaryzykuję.

– Naprawdę? To cudownie, stary, zobaczysz, jeszcze polecimy razem na Hawaje.

– Mam nadzieję, dlatego to robię. – Uśmiechnął się do niego, po czym oboje podali sobie ręce.

Witold zawarł ustną umowę, zostając wspólnikiem Krzysztofa i Hansa. Nie miał jednak zamiaru wtajemniczać Kaliny w swoje decyzje. Uznał, że to tylko jego sprawa.

Gdy Krzysztof opuścił jego gabinet, Witold chwycił za słuchawkę i, uśmiechając się, wyszeptał:

– To była bardzo dobra kawa, Tolu. Czy przyjdziesz tu i wymasujesz mi kark? Jestem taki spięty… – W słuchawce dało się słyszeć figlarny, kobiecy pisk.

Kalina wracała samochodem do domu. Echo rozmowy z Beatą powracało do niej jak bumerang, nie odpuszczając ani na chwilę. Mijała kolejne ulice, przystanki i osiedla, w głębi duszy wiedząc, że już podjęła decyzję.

– Czerwone – wyszeptała i zatrzymała auto tuż za sportowym ferrari. Z samochodu wydobywała się głośna muzyka, a spuszczony nisko dach umożliwiał zajrzenie do środka. W środku siedziały dwie parki, młode szczawiki. I Blanka! W Kalinie zawrzało. Przecież miała uczyć się z koleżanką do egzaminów, a tymczasem znowu ją okłamała.

Kalina miała nieodpartą ochotę wysiąść z samochodu i wyciągnąć ją stamtąd za włosy.

– Smarkula – wyszeptała zdenerwowana, a w jej oczach płonęła teraz wściekłość. Jako matka czuła, że ponosi klęskę wychowawczą, że nie sprawdza się w swojej roli, nie daje rady. Jednak to była jej córka i nie mogła sobie odpuścić, nie teraz. Postanowiła, że zaczeka, aż Blanka wróci do domu, wtedy poważnie z nią porozmawia. Córka nie odziedziczyła po niej talentu muzycznego, jednak miała łatwość do nauki języków obcych i Kalina namawiała ją, by nadal uczęszczała na zajęcia dodatkowe i poszła do liceum, a potem na studia. Z całego serca pragnęła, by Blanka zaszła daleko i robiła w życiu to, w czym jest najlepsza. Witold nie bardzo interesował się poczynaniami córki, dawał jej tylko pieniądze, na co tylko chciała, i tym samym psuł ją, niwecząc wysiłki wychowawcze i starania Kaliny.

Obładowana siatami Kalina z wielką parą wkroczyła do kuchni, zaparzyła sobie kawę, po czym wyszła na taras, by otrząsnąć się z emocji.

– Rosół, miałam nastawić rosół – przypomniała sobie i już po chwili zniknęła w drzwiach kuchni. Minęły cztery długie godziny, zanim Blanka pojawiła się w domu.

– Cześć, córeczko – Kalina przywitała ją ze skrywanym poirytowaniem. – Gdzie byłaś tak długo? – dopytywała, wpatrując się w nią uważnie.

– No jak to gdzie? – Blanka wzruszyła obojętnie ramionami. – Przecież mówiłam ci, że idę się uczyć do Sylwii.

– Do Sylwii?

– No tak, dostanę coś na obiad? – W jej ogromnych, zielonych jak tafla jeziora oczach Kalina dostrzegła swoje odbicie

– Nie kłam, dziecko – zaczęła, patrząc jej prosto w oczy. – Widziałam cię w aucie z tym chłopakiem i jakimiś znajomymi. Dlaczego znowu kłamiesz?

– Nie kłamię… – Dziewczyna szybko spuściła wzrok.

– Dziecko, miałaś się uczyć, niedługo masz egzaminy do liceum.

– Oj, mamo, wszystko już umiem, nie chcę tkwić z głową w książkach, gdy jest taka piękna pogoda.

– Nikomu się nie chce teraz uczyć, ale musisz, wiesz przecież, że to ważne, tu chodzi o twoją przyszłość. – Kalina zbliżyła się do niej i z czułością dotknęła jej delikatnego policzka. Blanka odtrąciła jej rękę.

– Nie chce mi się o tym rozmawiać, nie zależy mi na liceum.

Wiem, że to ten chłopak zawrócił ci w głowie, ale to tylko miłostka, zobaczysz, to kiedyś minie, a ty będziesz żałowała, że mnie nie posłuchałaś. Chcę dla ciebie dobrze, córeczko.

– Nie! – Blanka krzyknęła z całych sił. – To twoje plany, nie moje, daj mi wreszcie spokój! – rzuciła na koniec i pobiegła schodami na górę, po czym z hukiem zatrzasnęła za sobą drzwi od pokoju. Kalina czuła, jak Blanka wymyka jej się z rąk, nie mogła sobie przypomnieć, kiedy jej córeczka ze spokojnej dziewczyny przeobraziła się w butną, pełną arogancji nastolatkę. Zawsze pragnęła mieć w niej przyjaciółkę, opokę, sądziła, że wszystko między nimi się ułoży, jednak los bywa przewrotny. Kalina stała teraz przy kuchennym stole i obejmowała swoją głowę rękami. Zupełnie nie wiedziała, jak dotrzeć do własnej córki. Jej ciało drgało nerwowo, nie chciała zrozumieć tego, co mówiła Blanka. Bała się, co teraz będzie. Z trwogą przemierzała kuchnię, a na jej twarzy malowały się strapienie i smutek.

Po chwili do domu wszedł Witold.

– Jestem wykończony – oświadczył już od progu, rozluźniając krawat. – Czemu tak dziwnie milczysz? – Spojrzał na bladą jak ściana Kalinę.

– Nic, chodzi o Blankę.

– Znowu? Co tym razem? – W jego głosie dawało się wyczuć niezadowolenie.

– Okłamała mnie, że się uczy u koleżanki, a znowu była z tym chłopakiem, widziałam ich.

– I co teraz?

– Nie wiem, nie chce się uczyć do egzaminów, do liceum też nie chce iść, nie wiem zupełnie, co robić... – Kalina miała ochotę się rozpłakać, liczyła na wsparcie męża, słowa otuchy, przytulenie. Jednak Witold nie podzielał jej troski.

– Pęka mi głowa, czy możemy o tym pomówić innym razem?

– Innym razem? – Na twarzy Kaliny dostrzec można było niedowierzanie. – Czyli kiedy?

– W sobotę mam wolne. Jestem wykończony, jest coś na obiad?

– Wspaniale, nigdy nie mogę na ciebie liczyć! – krzyknęła. – Nie ma nic na obiad, bo nie zdążyłam ugotować, a poza tym, przy okazji naszej rozmowy, informuję cię, że chcę pójść do pracy – wydusiła z siebie dobitnie, sięgnęła drżącą dłonią po filiżankę kawy i ponownie wyszła na taras.

Gorące promienie słońca przyjemnie muskały jej twarz, momentalnie kojąc nerwy. Kalina stanęła na wprost jeziora, które przybrało teraz cudownie zieloną barwę odbijającego się w nim brzozowego lasu. Czuła, jak jej napięte ciało przyjemnie i powoli się odpręża. Po chwili Witold uchylił drzwi i wyszedł za nią na taras. Podszedł bliżej i usiadł na jednym z foteli.

– Rozumiem, że jesteś zdenerwowana, ale do pracy? Przecież ty nie masz skończonych studiów muzycznych, brak ci kwalifikacji. Uważam, że najlepiej będzie ci w domu, twoje miejsce jest właśnie tutaj. – Uśmiechnął się do niej szeroko, uznając sprawę za zamkniętą. – Czy źle ci z nami? – spytał, patrząc na nią ze zdziwieniem.

Kalina początkowo milczała. Czuła się wyczerpana, zmęczona, niekochana i nikomu niepotrzebna. Co miała mu odpowiedzieć? Powoli odwróciła głowę, marszcząc brwi.

– Postanowiłam, że pójdę do pracy, o ile ją dostanę – odrzekła spokojnie, ale stanowczo.

Witold głośno chrząknął, z miną wyglądającą tak, jakby nadal nic nie rozumiał.

– Do jakiej pracy?

– Nauka gry na fortepianie w szkole muzycznej.

– Przecież nie grałaś od lat.

– Bo dawno mnie o to nie prosiłeś. – W jej zielonych oczach pojawił się smutek. – Potrenuję trochę, tego się nie zapomina, to jak jazda na rowerze.

– A co z domem? – spytał marudnym głosem.

– Przecież nikt go nie ukradnie.

– Nie bądź dziecinna, Kalina, nie o to pytam.

– A o co? – Czuła, że zaczyna narastać w niej jakaś dziwna siła i chęć walki o swoje.

– Gotowanie, sprzątanie, dziecko…

– Dziecko jest już prawie dorosłe, a sprzątanie? Gotowanie? Nigdy nie zwracałeś uwagi na takie rzeczy, nigdy nawet nie powiedziałeś, czy coś ci smakuje. Więc co za różnica?

– Co się z tobą dzieje, Kalina? Nie poznaję cię. – Jego głos wyrażał zakłopotanie i niepokój.

– Nic się nie dzieje, po prostu nadszedł czas, bym coś zmieniła w swoim życiu, i tyle.

– Nie zachowywałaś się tak wcześniej.

– Ty też się zmieniłeś – wyznała z wyrzutem, nie odwracając się do niego. Witold westchnął głęboko.

– Oboje jesteśmy zmęczeni, wrócimy do tej rozmowy jutro – stwierdził, po czym zbliżył się do niej i lekko powiódł palcem po jej gładkim, bladym policzku. – A teraz, czy zrobisz mi coś na obiad, kochanie? Umieram z głodu.

Kalina stała bez słowa jak przedziwny, kobiecy posąg, i dalej wpatrywała się w błyszczącą jak diamenty taflę jeziora. Rozmowa z mężem była dla niej ciosem. Witold zupełnie jej nie rozumiał, a co gorsza, w ogóle nie starał się tego zrobić. Już dawno temu zrobił z niej gospodynię, strażniczkę domowego ogniska, zupełnie nie biorąc pod uwagę jej pragnień. Kalina czuła, jak gniew pali ją od środka, a ból rozczarowania tnie ostro niczym nóż. Witold stanął przy niej blisko i niespodziewanie chwycił ją za rękę.

– To jak będzie z tym obiadem? – powtórzył pytająco. W jego głosie pobrzmiewała nutka zniecierpliwienia.

– Niedługo będzie rosół – odparła cicho i zamknęła na chwilę oczy.

Witold z zadowoleniem na twarzy cmoknął ją w policzek, po czym zniknął za drzwiami domu. Jeszcze nigdy przedtem Kalina nie czuła w sobie takiej pustki i wszechogarniającej samotności. Spuściła wzrok i powolnym ruchem dłoni sięgnęła do kieszeni spodni.

– Wyższa Szkoła Muzyczna im. Franciszka Szuberta – przeczytała po cichutku i przyłożyła wizytówkę do lewego policzka. – Muszę tam zadzwonić – wyszeptała po chwili i schowała karteczkę z powrotem do kieszeni spodni, po czym skierowała swe kroki do kuchni. Drewniana podłoga tarasu przyjemnie zaskrzypiała pod naporem jej ciała. Wewnątrz nikogo nie było, kuchenny stół stojący pośrodku świecił pustką i smutkiem. Witold zaszył się w sypialni, Blanka zabarykadowała się w swoim pokoju, a Kalina miała chwilę na własne przemyślenia.

– Czas zrobić coś dla siebie… – wyszeptała po cichu i niepewnym wzrokiem spojrzała na stojący w kącie saloniku fortepian lekko przysypany wczorajszym kurzem. Zawahała się. Nie grała od ponad sześciu lat… *Czy coś jeszcze pamiętam?*, zatrwożyła się, a jej szczupłe dłonie delikatnie zadrżały z podniecenia. Głośno przełknęła ślinę, poprawiła jasne włosy łagodnym ruchem rąk, odgarniając je lekko do tyłu. Jeszcze chwila… Cofnęła się do szafki i sięgnęła po szklankę. Chwyciła stojącą na szafce butelkę z wodą mineralną i wlała ją sobie do szklanki. Wypiła kilka łyków, a jej ciało przyjemnie się odprężyło. W końcu powoli podeszła do pięknego instrumentu, delikatnie pochyliła się nad nim i przetarła dłonią po jego gładkim, czarnym blacie. Na tym samym fortepianie grała kiedyś jej babcia, słynna pianistka Amaranta Żak-Louis, Louis po swoim mężu, francuskim muzyku poznanym podczas jednego z tournée po Francji. Kiedyś Kalina uwielbiała słuchać jej dawnych wspomnień, okraszonych wzruszeniami, emocjami i szczerością. Jednak jej babcia zmarła i nikt już tak nie opowiadał ani niczego nie wspominał. Amaranta posiadała wyjątkowy dar prowadzenia konwersacji, kochała ludzi, przez co w ten właśnie sposób potrafiła całymi godzinami przekazywać im swoje przeżycia i raczyć swoją cudowną grą. Gdy Kalina była małą dziewczynką, to właśnie babcia uczyła ją gry na fortepianie, choć początkowo Kalina nie podzielała jej entuzjazmu ani miłości do tego instrumentu. Szybko jednak się okazało, że dziewczynka ma wyjątkowy słuch i poczucie rytmu, a zatem nadaje się na pianistkę. Intensywne lata nauki, wyrzeczeń, żmudnych powtórzeń gam, sonat i etiud zaowocowały tym, że Kalina bez problemu dostała się do szkoły muzycznej i od razu wyróżniła się swoim talentem i oryginalnością interpretacji utworów, zwłaszcza Mozarta.

Kalina siedziała teraz zadumana nad biało-czarną klawiaturą i z sentymentem zaczęła przypominać sobie słowa babci Amaranty, której obiecała kiedyś, że będzie dalej grała, jeśli nie dla innych, to przynajmniej dla siebie.

– Muzyka uszlachetnia – uczyła babcia. – Sprawia, że stajemy się wrażliwsi i łagodniejsi, po prostu stajemy się inni, wyjątkowi i zupełnie inaczej postrzegamy świat i ludzi. Nigdy nie rezygnuj z muzyki, nigdy nie rezygnuj z siebie, moje dziecko. – Kalina na krótką chwilę zamknęła powieki, próbując się wyciszyć. Pierwszy akord dawno niesłyszanego w tym domu fortepianu rozległ się po pomieszczeniu głośnym echem, mącąc panującą w nim martwą ciszę. Po nim nastąpiły kolejne i następne, aż czar spokojnej i ulotnej *Sonaty Księżycowej* stał się słyszalny nawet w otaczającym dom lesie. Niezwykła magia cudownie współgrających ze sobą dźwięków wypełniła ten od dawna smutny dom, jakby tchnęła w niego na nowo życie. Kalina ze zdumieniem uświadomiła sobie, że wcale nie zapomniała nut, a długie lata nauki nie poszły na marne. Przypomniała sobie to niepowtarzalne uczucie, jak wielką radość mogą dać barwne dźwięki, niosąc ze sobą spokój i czyniąc świat o wiele piękniejszym. Musiała jeszcze poćwiczyć, ale czuła, że wkrótce będzie gotowa, by zadzwonić i spytać o możliwość pracy. Na tę myśl w oczach Kaliny pojawiły się cudne, szmaragdowe ogniki, które dodały wyjątkowej barwy jej oczom. Z rękami poruszającymi się po klawiaturze z kości słoniowej wyglądała na niezmiernie szczęśliwą i spełnioną. Jak piękna nimfa, która gra na swej harfie. Pochłonięta tą pełną emocji i wzruszeń grą nie spostrzegła, jak w drzwiach kuchni, nie wiadomo kiedy, pojawili się wszyscy domownicy: dwa psy rasy myśliwskiej oraz Witold i Blanka, z oczami wielkimi ze zdziwienia. Gdy czarowne dźwięki ucichły, oniemiały Witold przemówił:

– Dobrze się czujesz, Kalina?

– Tak, czuję się świetnie. Zaczęłam znowu grać. – W jej głosie brzmiało podniecenie i ekscytacja.

– Właśnie widzę, ale czy coś się stało? – dopytywał wyraźnie zaniepokojony.

– Nie, po prostu miałam ochotę pograć. Dlaczego tak się dziwisz?

– Od dawna tego nie robiłaś… Czy to ma jakiś związek z twoim pomysłem na pracę? – rzucił bez entuzjazmu.

Kalina westchnęła, cały czar i urok minionej chwili zgasł nagle jak zapałka.

– Chyba tak…

– Mama chce pracować? – Blanka wyglądała na przerażoną.

– Właśnie, to dziwny pomysł, prawda, córeczko?

– A kto będzie nam gotował? I opiekował się domem, psami? Chcę, żeby było jak dotąd.

– No właśnie... – zawtórował małżonek.

– Nie zachowuj się jak rozkapryszone dziecko, Blanka. Dorastasz, masz chłopaka, coraz rzadziej jadasz i bywasz w domu. Czego ode mnie chcecie? – Spojrzała na nich z rozżaleniem. – Czy któreś z was choć przez chwilę pomyślało o mnie? – rzuciła obronnym tonem, wytaczając swe ciężkie działa i opuszczając głośno klapę fortepianu. Po chwili zdenerwowana wyszła na taras, by ochłonąć.

Witold bił się z myślami. Nie chciał, by Kalina wracała do przeszłości i znowu grała. Nie chciał rozgłosu, koncertów i podobnych takich, pragnął tylko cichego domu, dobrej gospodyni i matki dla dziecka.

– Kalina! To absurd! – zawołał, wychodząc za nią na taras.

– Dla ciebie to może i absurd, ale ja tego potrzebuję. Potrzebuję zmiany, czy nie rozumiesz, że całymi dniami siedzę sama w tym wielkim domu i gotuję albo sprzątam? Jedynie psy cieszą się na mój widok. Postanowiłam już i zdania nie zmienię, a ty lepiej się z tym pogódź – oznajmiła stanowczo, po czym odwróciła wzrok w stronę pobliskiego lasu. – Wychodzę teraz z psami na spacer – dodała po krótkiej i krępującej chwili ciszy, po czym unikając wzroku męża, wymknęła się do kuchni.

– Teri, Skot! – zawołała. – Chodźcie, pieski, idziemy na długi spacer! – Już po chwili uradowane i szczęśliwe psy skakały nad nią, niezwykle wdzięczne za zainteresowanie. Dwa wyżły weimarskie, dostojne, inteligentne i łatwe do prowadzenia, czekały przy jej nogach, piszcząc z niecierpliwości. Kalina narzuciła szeroką, błękitną chustę na ramiona, chwyciła wiszące na korytarzu dwie smycze i gwiżdżąc na swoich podopiecznych, szeroko otworzyła wejściowe drzwi. Cudownie dziki zapach lasu i śpiew ptaków zachęcały do spaceru. Srebrzystoszara sierść psów pobłyskiwała teraz w słońcu, przybierając niezwykły, ciepły odcień. Te długowłose psy uwielbiały, zgodnie ze swoją naturą, polować na ptactwo wodne, zatem Kalina musiała pilnować ich porywów, z tym jednym radziła sobie całkiem nieźle.

Tymczasem Witold w dalszym ciągu stał na tarasie, obserwując wyżły pędzące w stronę lasu. Kupił je razem z Blanką, gdy pojechali pięć lat temu na wystawę psów rasowych. Blanka ubłagała ojca i do domu wrócili już we czwórkę. Kalina początkowo nie była z tego zadowolona i, jak przewidziała, już następnego dnia to jej przypadła opieka nad psami, karmienie ich, kąpanie i spacery. Z wyrazem głębokiej zadumy Witold przyglądał się, jak Kalina kieruje się w stronę lasu, nawołując psiaki. Dawniej potrafiła znikać z nimi na całe godziny, uwielbiała to, włóczenie się po lesie i przesiadywanie na mostku, podczas gdy one pływały w jeziorze. Tym razem również liczył się z tym, że Kalina wróci najwcześniej za dwie godziny. Po chwili w kieszeni jego spodni zabrzmiał telefon. Spojrzał na jego wyświetlacz i westchnął głęboko.

– Mówiłem ci, żebyś nie dzwoniła na ten numer – powiedział niemal szeptem. Rozejrzał się wokół dyskretnie, jednak rozmowa przebiegała dość nerwowo i jakby mechanicznie. – Mówiłem ci już... – tłumaczył – na razie nie ma takiej możliwości, jak tylko będę mógł, to wyjedziemy, obiecuję, myszko... – odparł, po czym szybko zakończył rozmowę. Spojrzał za siebie, na okna sypialni i te od pokoju Blanki, z ulgą uznając, że nikt nie mógł go usłyszeć. Po chwili przeczesał ręką włosy, ponownie sięgnął po telefon i wybrał numer. Po kilku sekundach w słuchawce rozległ się znajomy mu głos.

– Cześć, mamo, jesteś zajęta? Mam sprawę, musimy porozmawiać. Chodzi o Kalinę. Wyobraź sobie, że wymyśliła, że będzie pracować... – Zaśmiał się nerwowo, jakby z niedowierzaniem. – Nie rozumiem jej, przecież ma wszystko...

– A Blanka? Kto jej dopilnuje? A dom? – brzmiał ironiczny i nieprzyjemnie piskliwy głos kobiety.

– Ostatnio nie dogadują się z Blanką.

– To zrób tak, żeby się dogadały. Wiesz, mój synu, to wszystko przez tamtą tragedię... – Nasturcja na chwilę zawiesiła głos. – Gdyby Kora żyła, Kalina byłaby inną kobietą, weź to pod uwagę.

– No właśnie biorę, myślę, że ona się chyba nudzi, ostatnio jest jakaś nieobecna, jakby inna...

– Dobrze, przyjadę jutro i porozmawiam z nią. A ty porozmawiaj z Blanką, nie chcesz chyba, żeby Kalina znowu miała załamanie nerwowe? Pamiętasz, jak jej wtedy wszyscy szukali? Nie chcę już tego wspominać... – westchnęła ciężko. – To dobra dziewczyna, ale zagubiona.

– Dobrze, porozmawiaj z nią, mamo, a ja ustawię Blankę.

– Ty ustawisz! Rozpieściłeś ją i zepsułeś, chyba już na to trochę za późno, synu, no i te jej okropne konie... Tylko czekać, jak kolejne nieszczęście gotowe.

– Daj spokój, nie wywołuj wilka z lasu, na koniu nie można się zabić.

– Ale połamać, jak najbardziej! – rzuciła ostro Nasturcja.

– Ona powinna się teraz uczyć!

– Dobrze, porozmawiam z nią.

– Oj, co ja z wami mam… Będę jutro, pa.

– Pa.

Telefon zamilkł, a Witold odetchnął z ulgą. Odwrócił głowę i marszcząc czoło, spojrzał na okno córki, które było teraz uchylone, przez co słychać było wydobywającą się z niego ciężką i głośną muzykę.

– Koniec tego! – rzucił ostro i zdecydowanym krokiem ruszył w kierunku jej pokoju. Muzyczna szarpanina była tu jeszcze bardziej nieznośna. Nie pukając, wszedł do pokoju córki.

– Co się tu dzieje? – Jego twarz przybrała groźny wygląd.

– Nic, a co ma się dziać? – Głos Blanki był chłodny i obojętny.

– Miałaś się uczyć, czy nie tak? Niedługo masz egzaminy.

– O, co za zaskoczenie… Interesuje cię to?

– …Tato! Nie jesteśmy na „ty" – dodał już spokojniej.

Zapadła cisza. Blanka niechętnie podniosła się z łóżka i przyciszyła radio.

– Weź się za naukę albo koniec z końmi i tym chłopakiem, jasne?

– A co, zamkniesz mnie w jakiejś wieży?

– Tak, jeśli będzie trzeba.

Blanka wyczuła, że tym razem to nie przelewki, nie to samo co z mamą.

– Serio mówisz?

– Bardzo serio. I masz słuchać matki, czy to jasne? Inaczej żadnych pieniędzy i całej reszty, rozumiemy się?

– Jeśli tak stawiasz sprawę… Wiesz, tato, jak kocham konie.

– Wiem, ale niedługo masz egzaminy i nie chcę słyszeć, że nie zdałaś. Jeśli masz problemy w nauce, to załatwię ci korki.

– Nie trzeba, poradzę sobie. – Spuściła z tonu, świdrując ojca swoimi zielonymi jak dwa szmaragdy oczami.

– Wspaniale, córko, a teraz, jeśli chcesz, to pojedziemy na lody.

– Nie chcę, ale dzięki, pouczę się.

– Cudownie – skwitował z zadowoleniem. – A teraz wyłącz tę rąbankę – dodał, wskazując ręką na stojące na półce radio. Grymas na ślicznej twarzy Blanki nie wyrażał zadowolenia, a raczej pogodzenie się z faktami. Wiedziała, że ojciec nie żartuje i jest zdolny spełnić swoje groźby. Potrafił być hojny i zawsze ją rozpieszczał, jednak gdy przeholowała, bywał szorstki i stanowczy. Witold z satysfakcją zamknął drzwi od pokoju córki. Z niecierpliwością czekał na jutrzejszą wizytę swojej matki w nadziei, że ta przekona Kalinę, by porzuciła pomysł związany z pracą. Bał się, że to, co od dawna miał pod kontrolą, zacznie mu się ponownie wymykać.

Pachnący żywicą las kusił spokojnym szumem swych potężnych i wysokich sosen. Wąska, leśna droga ciągnęła się jakby w nieskończoność, z każdym krokiem coraz bardziej oddalając Kalinę od domu. Jej włosy o barwie jasnej słomy powiewały delikatnie na wietrze, który swym ciepłem przyjemnie muskał jej twarz i szyję. Na gładkim czole pojawiła się niewielka bruzda, a jej lśniące gniewem oczy wskazywały, jak bardzo była gotowa postawić na swoim.

Mknąc szybko przed siebie, wyglądała jak buntowniczka, która przeciwstawia się całemu światu. Miała ochotę wykrzyczeć na cały głos, co czuje, jak wielką cenę zapłaciła za rezygnację z własnych marzeń. Najbardziej bolał ją fakt, że jej ukochana córka nie słuchała jej, nie szanowała. Nogi niosły ją coraz dalej i dalej, świetnie wiedziała, dokąd... Nagle uświadomiła sobie, jak dawno tam nie była. W jednej chwili zapragnęła pokonać ten rozległy las i dojść wreszcie do starego cmentarza, który znajdował się tuż za jego granicą.

– Wybacz, córeczko, że od tak dawna cię nie odwiedziłam... – wyszeptała. W oczach stanęły jej łzy, a głos się załamał. Nagle wiatr zaczął silniej wiać, Kalina owinęła się chustą i ze wzrokiem wyrażającym żal i smutek szła dalej. Nagle prosta dotąd droga skończyła się i Kalina stanęła na leśnym rozdrożu.

– Tak dawno tu nie byłam, zapomniałam już, w którą stronę powinnam teraz pójść... Chyba w lewo, tak, sądzę, że w lewo – wyszeptała niepewnym głosem, nawołując biegające beztrosko po lesie psy. Silniejszy powiew wiatru niespodziewanie ucichł, a w jej zielonych oczach pojawił się ślad niepokoju.

– Teri! Skot! Gdzie jesteście, pieski!? – wołała dość długo, gdy wreszcie zza krzaków wyłoniły się dwa piękne wyżły, a jaśniejszy z nich, czyli Skot, trzymał w pysku upolowaną dziką kaczkę.

– Och, Skot, ty łobuzie! Miałeś już tego nie robić, w naszym jeziorze nie będzie wkrótce żadnego ptactwa – zaśmiała się, a wierne oczy psiaka wpatrywały się w nią z oddaniem i miłością. – Chodźcie, pójdziemy jeszcze kawałek, to już niedaleko.

Psy tylko czekały na to polecenie i co sił w łapach pognały dalej przed siebie, aż po chwili znowu zniknęły jej z pola widzenia.

– Jeszcze tylko kilka kroków... – Na twarzy Kaliny pojawiło się wzruszenie.

Tymczasem zadowolony z siebie Witold zdrzemnął się w fotelu i gdy wstał, przebudzony atakami natarczywej muchy, nerwowo zerknął na zegarek. Dochodziła dziewiętnasta. Minęły trzy godziny od chwili, gdy Kalina wyszła na spacer.

– Co ona tam tak długo robi? – Przeczesał włosy szybkim ruchem dłoni i z niepokojem, nerwowo zaczął się kręcić po kuchni. Podszedł do wiszącej nad zlewem szafki i otworzył jej drzwiczki. W jego ręce pojawił się błyszczący czystością kieliszek do czerwonego wina. Następnie zbliżył się do starego kredensu i sięgnął po ciemną butelkę. Płyn krwistego koloru wypełnił zawartość kieliszka. Witold wypił kilka łyków, po czym westchnął, przyjemnie odprężony.

– Ona się gdzieś włóczy, a ja siedzę tu sam jak pies... Mam tego dość – wycedził w złości przez zęby i ruszył w stronę przedpokoju. Sięgnął do wiszącej na wieszaku marynarki i wyciągnął z kieszeni kluczyki od samochodu.

– Wychodzę! – krzyknął na tyle głośno, by Blanka go usłyszała. – Coś mi się przypomniało, muszę pojechać do banku – dodał i powoli uchylił drzwi od domu.

– Okej – odparła Blanka bez entuzjazmu i wróciła do siebie, zamykając cicho drzwi od swojego pokoju. Witold pokiwał głową i szybko wyszedł na zewnątrz. Z rozmachem otworzył drzwi swojego audi i przekręcił kluczyk w stacyjce. Silnik cicho zawarczał. Po chwili sięgnął po telefon i szybkim ruchem wybrał numer.

– Tola? – rzucił po chwili. – Będę u ciebie za piętnaście minut – poinformował, po czym spojrzał w lusterko, poprawił nieco nastroszoną fryzurę i nacisnął na gaz. Samochód z piskiem opon zniknął za bramą wjazdową.

Leśna droga ciągnęła się w nieskończoność, gdy w końcu Kalina ujrzała znajomy, wyłaniający się z daleka stary, ceglany mur. Przystanęła na chwilę, zupełnie jakby wahała się, czy powinna iść dalej. Na końcu leśnej drogi rosły liczne brzózki, które pięknie zdobiły surowość cmentarnego terenu. Jej ciało lekko zadrżało, poruszone echem dawnych, bolesnych wspomnień. Ukochane wyżły czekały za nią tuż pod bramą, leżąc wygodnie w jej cieniu. Kalina czuła, jak jej serce zaczyna mocniej bić, a dawny ból i smutek powracają. Powoli zbliżyła się do wejścia. Smukłe ciało Kaliny stało się nagle niesamowicie ciężkie, jakby przybite ogromem przytłaczających, napływających do głowy wspomnień.

Z oczami pełnymi łez mijała kolejne alejki malutkich nagrobków, gdy w końcu zatrzymała się przy jednym z nich. Biały, marmurowy i wciąż nieskazitelnie piękny, powoli przywoływał dramatyczne wspomnienia. Tylko gipsowy aniołek zdawał się do niej lekko uśmiechać, zapatrzony gdzieś daleko przed siebie. Kalina pochyliła się i przysiadła na białej, drewnianej ławce stojącej tuż obok.

– Witaj, Koro, moja córeczko… – wyszeptała cicho, a po jej zaróżowionych od długiej wędrówki policzkach spływały łzy. Wiedziała, że czas nie jest w stanie wymazać tamtego tragicznego wydarzenia sprzed siedemnastu lat.

Nastał zmierzch. Witold wrócił do domu, wziął szybki prysznic, przebrał się i ruszył do kuchni. Panowały tu jednak półmrok i cisza. Marszcząc czoło, spojrzał na zegar wiszący na ścianie, dochodziła dwudziesta pierwsza. Ponownie spojrzał na swój zegarek, on również wskazywał tę godzinę.

– Gdzie ona jest, u licha? – Rozejrzał się niespokojnie po kuchni, jakby nie dowierzając panującej tu ciszy. – Blanka! Blanka! – zawołał, wychodząc do przedpokoju. Dziewczyna po chwili pojawiła się w drzwiach. – Mama jeszcze nie wróciła?

– Chyba nie, nie wiem, zasnęłam. A co, jeszcze jej nie ma?

– No właśnie nie.

– A Teri i Skot? Też ich nie ma? Tato, mamie musiało się coś stać! – Blanka nagle pobladła, a Witold westchnął głęboko, nerwowo rozglądając się dokoła.

– Spokojnie, chyba wiem, gdzie może być... Już kiedyś robiła podobnie. Zostań w domu i czekaj tu na mnie, pójdę po nią.

– Idę z tobą!

– Nie! Powiedziałem, zostań!

– Boję się, a jeśli coś się jej przydarzyło?

– Blanka! Tym bardziej zostań w domu, masz telefon, zadzwonię, jak tylko ją znajdę.

– Ale tato!

– Powiedziałem! – rzucił stanowczo i sięgając do schowka po latarkę, wyszedł pospiesznie z domu. Szedł pieszo, gdyż leśna ścieżka, którą poszła Kalina, zwężała się gwałtownie i samochód nie mógłby tam daleko dotrzeć.

Gorące powietrze powoli ustępowało miejsca chłodnemu, wieczornemu, a zmierzch zaczynał otulać świat swymi szarymi barwami. Witold szedł najszybciej, jak mógł, co chwilę wołając jej imię. Jednak odpowiadało mu tylko leśne echo i szum posępnie wyglądających drzew. Czuł, jak gniew powoli ustępuje, w zamian narastający niepokój wypełnia jego serce. Targały nim wyrzuty sumienia. Gdyby nie stawiał wciąż na swoim, Kalina nie poszłaby na ten nieszczęsny spacer, powinien był zatrzymać ją w domu, porozmawiać z nią. Zamiast tego pojechał do kochanki, by miło i beztrosko spędzić czas. Sumienie nie dawało mu spokoju. W swej płytkiej powierzchowności i egoizmie nie potrafił dostrzec potrzeb Kaliny, nie umiał jej słuchać. Jej pragnienia postrzegał jako kaprysy kogoś, kto ma wszystko. Teraz jednak naprawdę się o nią bał, a nadchodzący nieuchronnie mrok coraz bardziej otaczał wszystko dookoła.

– Cmentarz... Na pewno znowu tam poszła, bo gdzie indziej – szeptał zdyszanym głosem, a krople potu wystąpiły na jego lekko zmarszczone, strapione czoło. – Skot! Teri! Kalina, odezwij się! Na litość boską!

Nagle w oddali rozległo się szczekanie psów.

– Teri? To ty, psiaku? – Wyżły podbiegły do niego, skomląc, a ich oczy świeciły jak małe ogniki. – Gdzie byłyście? Och, wy… A gdzie wasza pani? Kalina! Kalina! – wołał z nadzieją w głosie, jednak nadal odpowiadało mu tylko echo.

Razem z psami postanowił pójść dalej przed siebie, choć dookoła niewiele było widać. Po pół godzinie dotarł na cmentarz i od razu ruszył do znanej alejki.

– Gdzie to było? Chyba w lewo… Kalina! Kalina! – Poświecił latarką i w końcu dostrzegł ją. Siedziała pochylona nad grobem, zupełnie jakby zapadła w sen. – Kalina, Boże… Nic ci nie jest? – Jego twarz wyrażała przerażenie.

– Nie, nic, ale trochę mi chłodno – wyszeptała.

– Zwariowałaś? Co tu robisz? Myślałem, że coś ci się stało! Mogłaś zadzwonić!

– Nie zabrałam telefonu, naprawdę nie zauważyłam, kiedy zrobiło się ciemno, i bałam się sama wracać do domu przez las.

– Dobrze się czujesz?

– Dobrze, nie martw się, nie muszę iść znowu do wariatkowa.

– Zwariowałaś? Co ty mówisz? Nikt nie chce cię tam zamknąć, wtedy to była wyjątkowa sytuacja, potrzebowałaś pomocy.

– Zapomnieliśmy o niej…

– Nieprawda. Była… jest naszym dzieckiem.

– No właśnie, a my nawet nie przyjeżdżamy do niej na cmentarz.

– Uznałem, że dla ciebie będzie tak lepiej i… zdrowiej, Kalina.

– Nie planowałam tu przyjść, ale coś jakby mnie przywołało, może to ona?

– Wracajmy do domu. Chodź, chwyć mnie pod ramię, dobrze?

– A jeszcze do moich rodziców, nie zdążyłam do nich pójść.

– Pomodlisz się za nich w domu. Mamy kawał drogi, Blanka umiera ze strachu o ciebie. Masz jeszcze drugie dziecko, Kalina, dla niej musisz być silna.

– Tak, wiem… Ale tak się za nią stęskniłam, za moją malutką Korą…

Witold przytulił ją mocno i z siłą pociągnął za sobą. Po dobrej godzinie dotarli do domu. Blanka czekała już na nich w progu.

– Mamo! Gdzie byłaś? Chciałam już dzwonić na policję. – W jej oczach widoczne były łzy.

– Nic mi nie jest, córeczko, zasiedziałam się.

– Znowu ona! A ja? Ja też jestem twoją córką, czy za mną też byś tak tęskniła?

– Blanka, dziecko, co ty mówisz? Przecież wiesz, jak bardzo cię kocham!

– Naprawdę?

– Oczywiście!

– Czasem wydaje mi się, że żyjesz wciąż tamtą tragedią.

– To nieprawda. Jesteś niesprawiedliwa, chodź, przytul się do mnie. – Kalina zbliżyła się do niej, jej dłonie były chłodne od zimnego, nocnego powietrza.

– Zostaw mnie! – Blanka żachnęła się i co sił w nogach pobiegła do swojego pokoju. Kalina z rezygnacją spuściła wzrok.

– Ona tego nie rozumie, nie wie, co ja czuję, nie jest matką.

– Idź już spać, Kalina, jutro porozmawiamy. – Witold wyglądał na mocno przestraszonego i zmęczonego.

– Nie chcę o tym rozmawiać, chciałam tylko odwiedzić naszą córeczkę, chyba mam do tego prawo, prawda? Czy tego też chcesz mi zabronić?

– Nie mów głupot, jestem padnięty, miałem dziś urwanie głowy w pracy, idę spać, ty też już się kładź.

To powiedziawszy, ruszył w stronę salonu, a Kalina poszła na górę do łazienki. Zdjęła z siebie wilgotne ubranie i wrzuciła je do kosza z rzeczami przeznaczonymi do prania. Na samym wierzchu leżała beżowa koszula Witolda. Kalina chwyciła ją, by od razu włożyć do pralki. Nagle na jej bladej twarzy pojawiło się zaskoczenie. Na lekko przybrudzonym kołnierzyku widoczne były ślady intensywnie różowej szminki.

Głośny śpiew ptaków dobiegł do uszu Kaliny już wczesnym rankiem. Lekko ziewając, odgarnęła potargane włosy do tyłu. Przysuwając nogi bliżej siebie, siedziała tak jeszcze przez chwilę. Witold wciąż spał, podczas gdy ona przez całą noc nie mogła zmrużyć oka. Nie wracała już myślami do wczorajszego wieczoru. Już dawno temu schowała swój żal głęboko w sercu. Blanka miała rację: tego, co się stało, już nikt nie zmieni. Kalina musiała zająć się swoją rzeczywistością. Różowa szminka na koszuli nie pozwoliła jej zasnąć. *Najpierw tamten wieczór i podejrzane mrugnięcia i uśmiechy jego koleżanki, Toli, a teraz ta pomadka*, myślała, podczas gdy Witold spokojnie przewracał się na drugi bok. Musiała z nim poważnie porozmawiać, choć świetnie wiedziała, że nawet jeśli coś jest na rzeczy, on, ba!, żaden mężczyzna dobrowolnie się do tego nie przyzna. No chyba że zechce odejść do innej. Kalina wpatrywała się w jego śpiącą twarz i zastanawiała się, jak dowiedzieć się prawdy. Śledzić go? Nie, to zbyt upokarzające, a poza tym jakoś dziwnie nie czuła strachu, jedynie pragnęła poznać prawdę. Zasługiwała na to. Podniosła się cicho z łóżka i poszła w stronę łazienki. Chłodny prysznic cudownie orzeźwiał jej wciąż piękne i smukłe ciało czterdziestolatki. Wycierając skórę ręcznikiem, postanowiła, że przede wszystkim będzie wierna swoim postanowieniom i zadzwoni dziś do szkoły, by spytać o szansę na pracę. Uznała, że jest na to gotowa i wciąż świetnie odczytuje nuty i nieźle gra. Chciała się sprawdzić, czuła też, że praca pomoże jej wrócić do równowagi i wyrwie z codziennej szarości dnia.

– Umyć ci plecy? – nieoczekiwanie zza drzwi dobiegł zachrypnięty głos Witolda.

– Nie, już wychodzę. – Czoło Kaliny lekko się zmarszczyło, a przed oczami ponownie pojawił się intensywny kolor różowej szminki. Dopóki nie wyjaśni tej podejrzanej sprawy, będzie trzymać męża na dystans.

– Szkoda, już dawno nie widziałem cię nagiej – westchnął i po chwili wrócił do sypialni.

Kalina milczała, z ulgą słysząc delikatne skrzypienie drewnianej podłogi. Zarzuciła na siebie szlafrok i powoli wyszła z łazienki. Witold czekał w pobliżu.

– Mogę już tam wejść? Muszę się pospieszyć, inaczej spóźnię się do pracy.

– Tak, proszę, łazienka jest już wolna. Witold, słuchaj, głupia sprawa, ale muszę o to spytać. Zauważyłam na kołnierzyku twojej koszuli ślady różowej szminki. Ja takiej nie używam… Możesz mi powiedzieć, do kogo należy? – Jej wielkie zielone oczy zdradzały teraz złość i niepewność jednocześnie. Witold poczerwieniał i zaczął głośno chrząkać, nieudolnie próbując ukryć swoje zaskoczenie i zmieszanie.

– Różowa szminka? Nie wiem, o czym mówisz, kochanie, to chyba jakaś pomyłka.

– Nie, była na twojej brudnej koszuli, pokazać na której?

75

– Ale o co ci chodzi?

– O wyjaśnienie.

– Nie ma takiej potrzeby, bo to jakiś absurd, spieszę się, przepuść mnie wreszcie do tej łazienki – to powiedziawszy, wszedł do środka i zamknął za sobą drzwi.

– Jak na dyrektora banku jesteś bardzo dziecinny – rzuciła ostro Kalina, a potem zniknęła w drzwiach sypialni. Witold przemierzał nerwowo łazienkę, po czym zaczął przeszukiwać stos brudnych rzeczy do prania.

– Cholera… – zaklął, widząc swoją pobrudzoną na różowo koszulę. – Jak mogłem być tak nieuważny? – Zamoczył kołnierzyk koszuli pod kranem i zaprał mydłem, po chwili ślady szminki zniknęły. Schował koszulę na dno kosza i zamknął wieko. Jego życie znowu było pod kontrolą. Po chwili wrócił do sypialni i zaczął zakładać na siebie uszykowane wcześniej rzeczy. Standard. Jasna, zazwyczaj biała bądź niebieska koszula, krawat i garnitur. Dziś popielaty.

– A może ty się źle czujesz, kochanie? – nieoczekiwanie zwrócił się do siedzącej na łóżku Kaliny.

– Co masz na myśli?

– No, wiesz… najpierw ta dziwna wyprawa do lasu, przesiadywanie na cmentarzu, a teraz to…

– Sugerujesz, że jest ze mną coś nie tak? – Jej zielone oczy posyłały teraz w jego kierunku gromy.

– Nie, ale dziwnie się ostatnio zachowujesz, martwię się.

– Niepotrzebnie.

– Jesteś pewna?

– Idź już, proszę, do pracy – odparła z dezaprobatą. Jego niezrozumienie dla jej uczuć i nonszalancja bolały ją bardziej niż jego potencjalny romans.

– Wyganiasz mnie? – uśmiechnął się głupawo.

– Nie rozumiesz mnie, nigdy nie rozumiałeś… – odparła spokojnie i ze smutkiem na twarzy odwróciła się w drugą stronę.

– Moja mama przyjdzie dziś do ciebie w odwiedziny.

– A po co?

– Ona też się o ciebie troszczy, chce tylko porozmawiać i…

– I co?

– Przyszedł list do ciebie, chyba jakieś zaproszenie na spotkanie klasowe, nie pamiętam dokładnie.

– Otworzyłeś mój list? – Na twarzy Kaliny malowało się niedowierzanie.

– Znalazłem go w skrzynce na listy, w końcu jestem twoim mężem. A co, masz jakieś tajemnice do ukrycia?

Kalina przymknęła na chwilę oczy.

– Ja nie mam, a ty? – Jej błyszczące zielone oczy patrzyły na niego przenikliwie.

Witold szybko spuścił wzrok, poprawiając kołnierzyk koszuli.

– To niedorzeczne, Kalina, ja i tajemnice? – zaśmiał się.

– Przecież mnie znasz. No nic, muszę już pędzić, pa.

Kalina podeszła do okna i patrzyła, jak mąż spokojnie wsiada do samochodu.

– Prędzej czy później dowiem się prawdy. Nie zrobisz ze mnie wariatki, już nie… – wyszeptała i ubrała się w wygodny dres. Pospiesznie zeszła na dół i zaczęła rozglądać się za wspomnianym listem. Na kuchennym blacie leżała rozcięta nożem biała koperta. Kalina szybko wyjęła list i zaczęła czytać: – Serdecznie zapraszamy na spotkanie klasowe absolwentów Liceum Muzycznego… – Na jej twarzy pojawiło się wzruszenie i radość, tyle wspomnień, przyjaźni, cudownie świeżych, naiwnych i młodzieńczych planów. Od wielu lat nie widziała większości koleżanek i kolegów, czy powinna tam pójść? *Podali telefon i dzień, do kiedy należy wpłacić pieniądze.* Na jej twarzy pojawiło się lekkie wahanie. A jeśli nikt jej nie pozna? Albo, co gorsza, nikt z jej klasy nie przyjdzie? *Ale cykor ze mnie. Czy nie na to czekałam, by wreszcie coś zaczęło się dziać?* Chwyciła list do ręki i wyszła na taras. Przyjemnie chłodne powietrze natychmiast orzeźwiło jej umysł.

– Wiem, co zrobię. Zaraz wpłacę te pieniądze, w przeciwnym razie rozmyślę się i nie pójdę. – Kiwnęła znacząco swą jasną głową i wróciła do środka. Po dwudziestu minutach pieniądze zostały przelane na konto organizatora spotkania, a Kalina zaznaczyła na czerwono w kalendarzu wiszącym na ścianie datę dwudziestego sierpnia.

– Nie mam się w co ubrać, w szafie wiszą dawno zapomniane kiecki, czy ja w ogóle gdzieś ostatnio bywałam? Będę musiała pojechać na zakupy.

Niespodziewane trzaśnięcie drzwiami wprawiło ją w niepokój. Kalina odwróciła się i spojrzała w stronę przedpokoju.

– Blanka, to ty? – Na jej gładkim czole pojawiła się lekka, urocza zmarszczka. Głośny tupot obcasów stawianych na drewnianych schodach rozniósł się echem po całym domu.

– Spieszę się, będę wieczorem. – Blanka spojrzała na nią obojętnym wzrokiem. Kalina zwątpiła. Dziewczyna wyglądała jak młoda, dorosła kobieta, w pełnym makijażu, krótkiej sukience i wysokich obcasach.

– Chwileczkę, moja panno, dokąd się wybierasz w takim stroju?

– Umówiłam się, a co? – Blanka spojrzała na nią wyzywająco. Kalina podjęła wyzwanie, nie chciała stracić kolejnej córki.

– Nigdzie nie pójdziesz. Zjedz, proszę, śniadanie, chcę z tobą porozmawiać.

– Uczyłam się, jak kazał mi ojciec, zgodnie z umową. Miałam cię słuchać, ale teraz chcę wyjść.

– Umową? Jaką umową? – Kalina przerwała jej, patrząc na nią podejrzliwie.

– Jak nie będę cię słuchała ani się uczyła, odetnie mi kasę i moje konie.

– Ach tak… Zatem skoro teraz mnie nie słuchasz, to kasy nie będzie? – podjęła ostro

– Mam gdzieś wasze pieniądze, nie zależy mi. Alek sam kupi mi, co będę chciała.

– Alek? Twój chłopak? Blanka, dziecko, błagam… Dlaczego już ze mną nie rozmawiasz?

– Nie wiem – bąknęła niby obojętnie, wzruszając przy tym ramionami.

– Tak szybko dorosłaś…

– Mamo, nie mam czasu na twoje sentymenty. Alek czeka.

– Dlaczego nie wejdzie do środka?

– Daj już spokój, spieszę się.

– Chcę go wreszcie poznać, inaczej nigdzie nie wyjdziesz – zagroziła stanowczym tonem, jednak w środku cała drżała ze strachu.

– A co? Zamkniesz mnie w piwnicy? – Ironiczne spojrzenie Blanki ścięło Kalinę z nóg. Nie mogła zrozumieć, kiedy jej wspaniała, grzeczna córeczka zmieniła się w krnąbrną i zbuntowaną dziewczynę.

– Blanka, dziecko, zostaniesz w domu. Skoro tak stawiasz sprawę, to nigdzie nie pójdziesz, nie chcę, byś spotykała się z jakimś podejrzanym chłopakiem i jego znajomymi. Jak zdasz egzaminy, to wrócimy do tej sprawy. – Głos Kaliny uniósł się, a ona sama nie potrafiła dłużej udawać, że jest spokojna. Wiedziała, że Blanka wymyka jej się, że traci z nią kontakt i dawne wspaniałe relacje.

– Chyba żartujesz… Mam cię dość, nie będę się wiecznie uczyła, kocham Alka i zamieszkam z nim, czy ci się to podoba, czy nie! –krzyknęła Blanka buntowniczo, po czym wybiegła z domu, trzaskając drzwiami. Kalina ruszyła za nią.

– Blanka! Wracaj natychmiast, Blanka! – wołała z całych sił, jednak jej latorośl siedziała już w sportowym aucie i odjeżdżała z piskiem opon w nieznane.

– Kurczę, przecież ona ma dopiero szesnaście lat, co mam teraz zrobić? – Dłonie Kaliny wpadły w lekkie drżenie, czuła, że zaczyna panikować. Po dziesięciu minutach nerwówki zabrzmiał dzwonek do drzwi.

Może to ona, pewnie przemyślała to, co jej powiedziałam. Z radością i nadzieją w oczach podbiegła do drzwi. Otworzyła je z rozmachem, jednak zamiast Blanki w progu ujrzała niekochaną twarz teściowej, Nasturcji.

– O, myślałam, że to ktoś inny – westchnęła z rozczarowaniem.

Kobieta zamrugała mocno wytuszowanymi rzęsami.

– No cóż, wiem, że za mną nie przepadasz, moja droga, ale dziś przynajmniej szybko mi otworzyłaś. – W jej głosie zabrzmiała szczypta zgryźliwości. Kalina uśmiechnęła się z przymusem.

– Ależ co mama mówi, zapraszam do środka.

– Dziękuję, moja droga, właśnie miałam zamiar wejść. – Jej intensywny i duszący bukiet perfum wywołał natychmiastowy ból głowy u Kaliny. Ta kobieta uwielbiała przesadę we wszystkich możliwych aspektach. Od fryzury i makijażu zaczynając, na szpiczastych i chwiejnych butach kończąc.

– A gdzie moja wnuczka? – Teściowa z uwagą penetrowała najmniejsze zakamarki domu. – O, dziś masz tu nawet czysto.

– A czy ostatnio miałam brudno? – Kalina rzuciła jej ostre spojrzenie.

– No, właściwie to nie, ale może przydałaby ci się jakaś pomoc?

– Pomoc? Ale do czego? – Jej twarz przybrała wyraz zdumienia.

– No, nie wiem... porządki i takie tam. Słyszałam, że chciałaś wrócić do pracy, ale to chyba zły pomysł, prawda, moja droga? – Małe, sprytne brązowe oczy lustrowały badawczo jej reakcję.

– Nie zgadzam się. To prawda, mam zamiar pracować, o ile dostanę pracę. – W głosie Kaliny dało się słyszeć stanowczość.

– No właśnie, kto cię zatrudni? Przecież nie masz studiów, no i...

– Tak...? – Kalina zamknęła oczy i po cichu zaczęła liczyć do dziesięciu.

– No wiesz, moja droga, twoje zdrowie, nerwy... Czy ostatnio dobrze się czujesz?

– Czuję się świetnie, dlaczego dziwi was fakt, że zapragnęłam pójść na spacer na stary cmentarz?

– Nie, no oczywiście to nic złego, ale długo tam siedziałaś, za długo. Przecież wiesz, co mam na myśli.

– Tak, wiem, ale zapewniam mamę, że nic mi nie jest, chcę poszukać sobie jakiejś pracy, bo Blanka jest już duża, nie potrzebuje mnie jak dawniej, a Witolda i tak nigdy nie ma w domu.

– Hm... No właśnie, moja droga, może to trochę twoja wina, nie uważasz?

Kalina zmarszczyła czoło.

– Nie rozumiem...

– Kobieta powinna umieć zatrzymać męża w domu, sprawić, by chciało mu się do niego wracać, a tymczasem...

– A tymczasem co? Co mama znowu insynuuje? – W głosie Kaliny wyczuwalne było napięcie.

– Oj, nic takiego, nie denerwuj się. Po prostu powinnaś uwodzić go swoją kobiecością, bardziej o niego dbać. No, rozumiesz chyba – kobieta westchnęła niecierpliwie – w końcu to tylko mężczyzna, ostrzegam cię, by sobie jeszcze kogoś innego nie znalazł.

– Ach tak, no wspaniale, a może mamy syn już kogoś takiego ma? – Kalina nie potrafiła ugryźć się w język.

– Jak to? Co ty wygadujesz? Mój syn jest uczciwy!

– Oczywiście, to ja jak zawsze jestem ta zła.

– Mylisz się, po prostu martwię się o ciebie, jesteś dla mnie jak córka... No, w każdym razie jak rodzina. Pamiętamy wszyscy tamto tragiczne wydarzenie i twój długi pobyt w zakładzie, dlatego martwimy się, by to nie wróciło. Kalinka, ja nie chcę dla ciebie źle.

– Oczywiście, ale ciągle mi mama podcina skrzydła i przypomina, niby ot tak, o mojej bolesnej stracie. Nie chcę już tego dłużej słuchać. Proszę, to kawa dla mamy, ze śmietanką – rzuciła po chwili ostro, stawiając na stole porcelanową filiżankę.

– Uparta jesteś.

– Wiem, ale potrzebuję zmiany i jeśli mama jako kobieta tego nie rozumie, to przykro mi. – Nastała pełna napięcia cisza. Nasturcja siedziała z wielce niezadowoloną miną i popijała kawę.

– Mocna, nie lubię takiej.

– Taka jak zawsze. A co, nie smakuje? – Kalina czuła, że zaraz wybuchnie, w dodatku cały czas zamartwiała się o Blankę.

– Nie, no już może być – odparła Nasturcja obrażonym tonem – Cóż, widzę, że jednak nie zależy ci na rodzinie tak bardzo, jak sądziłam. Nie zdziw się, jak któregoś dnia to wszystko rozsypie ci się w drobny mak. O dom trzeba dbać! – Nasturcja nie odpuszczała.

Kalina głośno westchnęła, z całych sił próbując pohamować narastającą w niej burzę negatywnych emocji.

– Może już się rozsypuje – wyznała nieoczekiwanie, odczuwając przy tym ulgę. – Mama wybaczy, ale mam dziś sporo zajęć. – Po czym wstała od stołu, poprawiła włosy i wyszła na taras.

Nasturcja parsknęła z niezadowoleniem.

– No cóż, pójdę już. Też mam co robić – odburknęła, po czym skierowała swe kroki w kierunku drzwi. Stukot jej cienkich, wysokich obcasów słyszalny był nawet na tarasie. Ze złością trzasnęła drzwiami, ciężko przy tym wzdychając. Zeszła po schodach i wsiadła do swojego auta, gdzie czekał na nią małżonek. Sięgnęła do torebki po telefon i wystukała numer.

– Wituś? Mój synku, no cóż, właśnie od niej wychodzę – zaczęła piskliwym, narzekającym głosem. – Niestety jest uparta jak wół i chwilami nawet bezczelna. Nie przyjęła mnie miło, to takie przykre. Masz rację, coś się z nią dzieje. Może powinien zbadać ją lekarz?

– Mamo, nie mogę teraz rozmawiać, mam gościa. Spotkamy się, a może przyjadę później, po pracy.

– Wiesz, że ona nawet sugerowała, że kogoś masz? Pomyśl, do czego to doszło… – Kobieta zaczęła głośno pociągać nosem.

– Co za absurd – Witold zaśmiał się nerwowo. – Co jeszcze ci powiedziała?

– Ach, same dziwne rzeczy. Kto ją zatrudni? Przecież ona jest niezrównoważona, mówiłam ci, synku, już dawno temu, żebyś się z nią nie żenił. Tamta Basia była taka miła…

– Mamo, daj już spokój.

– Od kiedy ona weszła do naszej rodziny, spotykają nas same nieszczęścia.

– Nie przesadzasz, mamo? To był jeden wypadek wiele lat temu.

– Ale to piętno na całe życie, twoje również. Gdyby jej ojciec wtedy nie kierował…

– Mamo, muszę już kończyć, naprawdę nie mogę teraz rozmawiać.

Rozmowa urwała się, a Witold odetchnął z ulgą. W jego gabinecie od godziny siedział wspólnik w niedawno rozpoczętych interesach.

– Mam pieniądze – zaczął z zadowoleniem Witold. – Co prawda zmuszony byłem zastawić dom, ale skoro interes jest pewny, to mogę spać spokojnie.

– Jak najbardziej spokojnie, wkrótce zostaniemy boga-
czami, zobaczysz, stary. – Mężczyzna uśmiechnął się
z przekąsem. – A jak inwestycje na giełdzie?

– Poczyniłem już pewne kroki, teraz czekam na wyniki.
W razie czego służę moimi doradcami.

– Nie ma takiej potrzeby, nieco się na tym znam.

– Rozumiem, ale to zawsze pewne ryzyko, zwłaszcza przy
większych kwotach. – Krzysztof chrząknął głośno, po czym
sięgnął po szklankę z wodą i wypił kilka łyków.

– Kto nie ryzykuje, ten nie ma, jak to mówiłeś – zaśmiał
się Witold i z zadowoleniem wypisanym na twarzy rozsiadł
się wygodnie w fotelu, tuż obok niego. – To kiedy rusza
nasza budowa?

– Mamy już wszystkie papiery, zezwolenia, planujemy
w następnym miesiącu.

– Wspaniale.

– A, właśnie, w związku z tym   pieniądze. Tu jest numer
konta. Ja już swoje przelałem.

– Oczywiście, do kiedy mam czas?

– Do jutra? – Oczy mężczyzny śmiały się do niego, a on
sam drapał się po głowie.

– O, szybko.

– Żeby ruszyć z budową, musimy zakupić materiały.
Stary, nie ma nic za darmo, zwłaszcza w tym biznesie.

– Jasne. Załatwię to.

– Okej, w takim razie spotkamy się wkrótce. Będę cię
informował o postępach.

– Wspaniale, już nie mogę się doczekać, jak kupię sobie
mały jacht.

– Jacht? Co tam jacht! Hotel – to jest coś…

– Masz ambitne plany.

– Oj, tak… – oświadczył wspólnik i podawszy Witoldowi rękę, opuścił jego gabinet.

Witold podszedł do swojego biurka i chwycił za słuchawkę telefonu.

– Pani Zosiu, poproszę panią o pewne ważne zlecenie, ale to dyskretna sprawa, czy może pani do mnie teraz przyjść? Dziękuję.

Kalina przechadzała się nerwowo po tarasie. Słońce operowało już dość intensywnie. Po chwili usiadła na rattanowym fotelu obitym miękkim, jasnym płótnem, i sięgnęła do kieszeni po telefon. Z drugiej kieszonki wyciągnęła nieco pomiętą wizytówkę. Odczekała chwilę, jakby chciała nabrać większej pewności siebie. W końcu zdecydowanym ruchem ręki wybrała numer, czując, jak jej serce łomocze z niepokoju.

– Wyższa szkoła muzyczna, słucham? – zabrzmiał miękki, kobiecy głos.

– Dzień dobry. – Kalina słyszała, jak jej głos drży. – Dzwonię w sprawie pracy, podobno szukacie państwo nauczycieli muzyki.

– A pani jest kim?

– Nazywam się Kalina Adamowicz, dzwonię z polecenia pani Beaty Rybkowskiej. – Czując się dość niepewnie, Kalina zdecydowała się jednak wykorzystać dawną znajomość.

– Rozumiem. Cóż, mamy już prawie komplet, ale brakuje jeszcze jednego nauczyciela dla dodatkowej klasy, którą musieliśmy utworzyć, mamy tu istne oblężenie uczniów.

W takim razie proszę przyjść jutro, powiedzmy... na dziewiątą rano. Czy to pani odpowiada?

– Tak, oczywiście. Dziękuję.

– Proszę nie dziękować, jeszcze pani nie zatrudniłam – zabrzmiał surowo brzmiący głos.

– Tak, wiem, ale i tak jestem wdzięczna za szansę.

– W takim razie do jutra.

– Do jutra.

Kalina zakończyła rozmowę, a zaraz potem poczuła w brzuchu dziwne mrowienie. To uczucie strachu, jakiego dawno nie czuła, choć świetnie je pamiętała.

– To dla mnie jedyna szansa – wyszeptała – nie mogę jej zmarnować.

Po chwili poszła do swojego pokoju i zajrzała do małej biblioteczki, w której trzymała wszystkie swoje ważne dokumenty. Wyjęła te dotyczące ukończenia liceum muzycznego, dyplomy, nagrody wywalczone na konkursach. Było tego sporo, więc wszystko razem przełożyła do niebieskiej teczki, zamknęła ją na gumkę i włożyła do swojej torebki, tak by niczego nie zapomnieć. Postanowiła założyć skromną, granatową sukienkę do kolan i eleganckie buty na koturnie. Kalina do końca dnia nie mogła ostudzić emocji i podniecenia, a niesamowita nadzieja zagościła teraz w jej sercu.

Nazajutrz rano wstała wcześniej niż zwykle, starała się w nocy wypocząć, by dobrze wypaść na dzisiejszej rozmowie. Kręcąc się po sypialni w białej, atłasowej krótkiej koszulce, zeszła na dół do kuchni. Musiała rozpocząć ten dzień od mocnej kawy, o swoich planach nic nie powiedziała ani Witoldowi, ani Blance, zdecydowała, że zrobi to dopiero po rozmowie w szkole. To była jej decyzja, tym bardziej że przewidywała negatywną reakcję członków swojej rodziny. Z kubkiem gorącej, świeżo zaparzonej kawy w ręce po cichu wyszła na taras. Przyjemny chłód powietrza orzeźwiał jej ciało. Na chwilę przymknęła powieki, by lepiej wsłuchać się w cudowny ptasi śpiew. Pachnący drewnem taras z widokiem na wspaniały las i jezioro był jej ulubioną częścią domu. Nawet zimą, zwłaszcza gdy spadł śnieg, uwielbiała rozsuwać drzwi i wynurzać nos na świeże powietrze i cieszyć oczy tym prawdziwym cudem natury. Dochodziła siódma, a ona wciąż siedziała na fotelu i spokojnie popijała kawę.

Mam jeszcze dobrą godzinę, zanim wyjdę z domu, pomyślała, gdy nagle w sypialni na górze Witold uchylił okno. Nie był świadomy, że nieco niżej, na tarasie, siedzi Kalina.

– Tak, będę. Przecież już ci mówiłem, że coś wymyślę!

Chcąc nie chcąc, słyszała jego urywaną chwilami rozmowę, Witold stał tuż przy oknie.

– Tak, wyjedziemy, obiecuję. Pa – zakończył szybko.

Niepokój i niepewność zagościły w sercu Kaliny. Siedziała skulona w fotelu i biła się z myślami. Czuła, że Witold coś przed nią ukrywa, że coś kręci, i to nie sam. Wciąż jednak nie miała wystarczających dowodów. Jeśli faktycznie miał romans lub oszukiwał ją w inny sposób, musiała tego jakoś dowieść, inaczej on nigdy się do tego nie przyzna. Przeszło jej przez myśl, by wynająć detektywa i kazać śledzić męża, jednak szybko z tego zrezygnowała. Po jakimś czasie Witold pojawił się w kuchni. Ogolony, pachnący i pod krawatem, jak zawsze.

– Czemu tu tak siedzisz? – Był tak zdziwiony, jakby na dworze było co najmniej minus dziesięć stopni. Kalina przybrała podejrzliwy wyraz twarzy. Zdawała sobie sprawę, że od dawna nie byli ze sobą blisko. Czyżby faktycznie Witold ją zdradzał? Setki poplątanych myśli krążyły w jej zatroskanej głowie.

– Przyjemnie tu, spokojnie. Rozmawiałeś z kimś przez telefon?

– Kiedy?

– No… przed chwilą.

– Nie, a dlaczego pytasz?

– Słyszałam twój głos z góry. – Wskazała ręką na sypialniane okno.

Witold zmieszał się i głośno chrząknął. Robił tak zawsze, kiedy nie wiedział, co odpowiedzieć.

– Niemożliwe, to może grało radio.

– Na górze nie mamy radia. – Jej zielone oczy przeszywały go teraz na wskroś. Witold wyraźnie unikał jej spojrzenia.

– Co to za przesłuchanie? Spieszę się do pracy, będę później w domu, pa.

– Jasne, pa. – Kalina czuła, że coś jest na rzeczy, nie miała jednak ochoty bawić się w detektywa.

– Muszę to wybadać. Jeśli on mnie oszukuje, to koniec z tym wszystkim. Najpierw jednak idę pod prysznic i jadę na rozmowę, reszta musi zaczekać.

Budynek szkoły wyglądał imponująco, nowocześnie i zadbanie. Ukończony całkiem niedawno, wzbudzał ogólne zainteresowanie i zachwyty przechodniów. Kalina podjechała na parking za dwadzieścia dziewiąta, postanowiła być nieco wcześniej. Zgrabnie wyszła z samochodu, ubrana w elegancką granatową sukienkę, delikatnie owiewającą jej figurę, czarne buty o średniej wysokości i szykowną torebką w stylu Coco Chanel. Pod pachą miała teczkę z dokumentami. Wzięła głęboki wdech i zdecydowanym krokiem ruszyła przed siebie. Rok szkolny miał rozpocząć się od pierwszego września. Spokojnie pokonywała kolejne schodki, by wreszcie znaleźć się w środku budynku. Olbrzymia kopuła zdobiła wielkich rozmiarów hol, na środku którego stał piękny, czarny fortepian. Budynek zaprojektowany został z niesamowitym rozmachem. Kalina z zainteresowaniem rozglądała się dookoła.

– W czym mogę pani pomóc? – Nieoczekiwanie słyszała za sobą kobiecy głos. Niska postać ubrana w klasyczną czarną sukienkę i uczesana w sztywny kok tuż nad karkiem patrzyła na nią badawczo.

– Och, dzień dobry. Jestem Kalina Adamowicz, dzwoniłam wczoraj w sprawie pracy.

– A tak, pamiętam, cóż... Inaczej sobie panią wyobrażałam – wycedziła kobieta przez zęby i ostro zmierzyła Kalinę wzrokiem. – To szkoła o wysokich wymaganiach, rozumie pani?

– Tak. – Głos Kaliny załamał się, nie spodziewała się tak ostrego przyjęcia.

– Dzwoniła pani z polecenia pani Beaty? – Małe świdrujące oczy nie spuszczały z niej wzroku.

– Tak, to moja koleżanka, razem się uczyłyśmy.

– Wiem, rozmawiałam z nią wczoraj, rozumie chyba pani, że musiałam sprawdzić pani prawdomówność?

– Skoro pani musiała... Nie mam w zwyczaju okłamywać ludzi.

– Pani zapewne nie, Beata dobrze się o pani wypowiadała, ale proszę mi wierzyć, miałam tu już przeróżnych delikwentów. Jestem dyrektorem tej szkoły, Telimena Zapolska – przedstawiła się, wyciągając swoją kościstą dłoń w kierunku Kaliny.

Kobieta sprawiała nieprzyjemne i surowe wrażenie.

– Cóż, w takim razie chętnie posłucham, jak pani gra, pani Kalino. Zapraszam do fortepianu. – Wskazała na stojący pośrodku holu instrument. Kalina cicho westchnęła, czuła, jak dłonie pocą się jej ze zdenerwowania.

– Podam pani nuty i zostawię panią na dziesięć minut, dla przygotowania, a potem przesłuchanie – zaśmiała się lekko. – Proszę się aż tak nie stresować. Oto nuty... Co my tu mamy... *Preludium e-moll* Chopina, może być?

– Tak, postaram się.

– Proszę to zrobić, za chwilę wracam.

– Dobrze – odparła cicho.

Kobieta zniknęła w drzwiach holu, a Kalina sięgnęła szybko do torebki i wytarła dłonie chusteczką. Czuła, jak krople potu występują jej na czoło. Nerwowo spojrzała na układ nut na pięciolinii. Nabrała głęboko powietrza, na pierwszy rzut oka wszystko wyglądało znajomo. Trzydziestodwójki, znaki chromatyczne... *Powtórzenia, nie zapomnij o powtórzeniu*, powtarzała sobie w głowie. W końcu po wyznaczonym czasie pani Telimena pojawiła się znowu.

– Jest pani już gotowa? Czy możemy zaczynać?

– Tak, mam nadzieję, że tak.

– A więc proszę grać. – Kiwnęła głową, a jej wzrok padł na biało-czarną klawiaturę.

Kalina zaczęła swoją grę, jej muzyka brzmiała rytmicznie, jednak stres robił swoje i Kalina pomyliła się w jednym punkcie.

Cholerny bemol, przeklęła w duchu, słysząc krótki fałsz.

– Wystarczy, dziękuję – przerwała po chwili kobieta.

– Był błąd.

– Tak, wiem, przepraszam.

– Cóż, tempo było *lento*, a pani grała *adagio*, czy muszę tłumaczyć różnicę?

– Nie, wiem, co to znaczy.

– Świetnie. Nie zauważyła pani kropki? A powtórzenie?

Kalina przymknęła oczy, przez chwilę bała się, że zmarnowała swoją szansę.

Nie było źle pomimo tych błędów, przepytam panią jeszcze z teorii i zobaczymy. Zapraszam do mojego gabinetu.

– Dobrze. – Kalina wstała, poprawiła sukienkę i wdzięcznie ruszyła za kobietą. Ogromny, jasny hol został za nimi, po chwili Kalina znalazła się w gustownie urządzonym pokoju z kremowymi ścianami obwieszonymi nagrodami, pochwałami i przeróżnymi dyplomami. Telimena Zapolska była znaczącą personą w świecie muzycznym, już w szkole Kalina słyszała o jej dokonaniach. Koncertowała z największymi sławami, jednak nieudane życie osobiste i przebyte choroby nie pozwoliły jej długo cieszyć się sławą.

– Proszę siadać. – Telimena wskazała miejsce na fotelu. – Powiem tak: podoba mi się pani, ma pani idealny słuch, podobała mi się też pani interpretacja Chopina. Chętnie usłyszałabym, jak pani gra jego *Mazurka g-moll* lub *Bagatelę a-moll – Dla Elizy…*

– …Beethovena – dokończyła cicho Kalina. – Znam te utwory.

– Tak myślałam. Proszę pokazać mi swoje dyplomy, dokumenty szkolne.

– Proszę. – Kalina sięgnęła po teczkę, czuła, jak rumieńce oblewają jej twarz. Stres i upał robiły swoje.

– A Czajkowski? Grała pani kiedyś coś z jego utworów?

– Tak, dawniej grywałam *Czerwiec Barkarolę* z cyklu *Pory roku*…

– …opus 37a – zaśmiała się Telimena. – Imponuje mi pani, choć nie widzę dokumentów z ukończenia studiów muzycznych… – Spojrzała z ubolewaniem na zarumienioną twarz Kaliny.

– Ja nie skończyłam studiów, nie miałam takiej szansy, zaszłam w ciążę i…

– I poświęciła się pani dzieciom i mężowi. Beatka coś mi wspominała. Zmarnowała pani swój wielki talent, ale my, kobiety, zdolne jesteśmy do tak wielkich poświęceń. Przypomina mi pani moją córkę.

– Dziękuję, to dla mnie zaszczyt, była wielką sławą, przykro mi, że tak młodo zginęła.

Telimena zamilkła na chwilę i kiwnęła ręką.

– Dlatego rozumiem pani wybór, choć domyślam się, że nie był łatwy, mamy przecież podobnie tragiczne przeżycia. Życie nieraz nie szczędzi nam ciosów, choć ja twierdzę, że wszystko ma swoją przyczynę i sens, nawet jeśli tego nie zauważamy bądź nie rozumiemy.

– Przemawia przez panią życiowa mądrość.

– Cóż, w życiu trzeba umieć rozsądnie wybierać, to nie-
łatwa sztuka, zwłaszcza gdy przez to możemy po drodze
zatracić siebie. Prawda?

Kalina spojrzała na nią swymi błyszczącymi, zielonymi
oczami i nagle zrozumiała, że ta kobieta rozumie ją jak nikt
inny. Obie uśmiechnęły się do siebie.

– Pani Kalino, mam jeszcze kilka umówionych rozmów
o pracę na to miejsce, moje pytanie brzmi, czy chce pani
na pewno uczyć. To niełatwe i wymaga sporej dawki cierpliwości, bo wiedzę pani ma, również teoretyczną.

– Marzę o tym, by znów grać i uczyć. I będę zaszczy-
cona, jeśli dane mi będzie przekazać komuś wiedzę,
którą posiadam.

– Te dzieciaki w większości są zdolne, choć czasem
leniwe. Bywa, że rodzice przyprowadzają je tu na siłę,
by spełnić swoje ambicje. To daje się wyczuć i z takich
uczniów drugiego Chopina już nie będzie. Rzadko, ale
zdarzają się perełki, ciche talenty, i te staramy się pielę-
gnować najbardziej.

– I słusznie.

– A zatem, odezwę się w ciągu najpóźniej dwóch tygodni
i poinformuję panią o podjętej decyzji.

– Dobrze. – Kalina spuściła głowę. Bała się, że brak
odpowiednich dyplomów udaremni jej wysiłki i marze-
nia. – Zapewne większość kandydatów jest po studiach –
dodała smutno.

– Raczej tak, ale to nie jedyne kryterium, którym się kie-
rujemy, zatem do usłyszenia.

– Do widzenia.

Kobiety uścisnęły sobie dłonie i Kalina opuściła gabinet. Powoli wyszła na zewnątrz, a delikatny, przyjemny wiatr rozwiewał jej jasne włosy. Nabrała głęboko powietrza i odetchnęła z ulgą. Czuła, jak jej twarz płonie z emocji. Zdawała sobie sprawę z tego, jak wiele może zyskać. Najgorsze było to, że musiała teraz cierpliwie czekać i wierzyć w to, że się uda.

Dochodziła jedenasta. Słońce operowało wysoko, a gorączka narastała. Świat wydawał się jakby spowolniony wszechobecnym upałem, wszyscy z utęsknieniem od dawna czekali na deszcz lub burzę. Kalina postanowiła podjechać jeszcze do centrum handlowego i kupić sobie sukienkę. Te, które miała w szafie, nie nadawały się na ważne spotkanie klasowe, a dzisiejsza była zbyt poważna. Wnętrze samochodu uderzyło ją nieprzyjemnym gorącem. Kalina wydęła śmiesznie usta, wypuszczając powietrze.

– Kiedy wreszcie skończą się te okropne upały? – wycedziła przez zęby, odgarnęła włosy do tyłu. Dziś wszystko jej przeszkadzało i drażniło. Musiała zająć czymś myśli, które uparcie powracały do przebytego przed chwilą spotkania. *Dałam plamę. Tak się pomylić, jak mogłam przeoczyć te powtórzenia... Nie ma szans, ona mnie nie zatrudni!* Odwróciła głowę, potem spojrzała w boczne lusterko i powoli zaczęła wycofywać. Po chwili parkingowych manewrów zdołała wyjechać na główną drogę. Nigdy nie była świetnym kierowcą, ale zawsze dojeżdżała do celu. Miejski gwar zdawał się ją przytłaczać. Chodziła między sklepami niczym zabłąkana owca, wypatrująca swego pasterza. Sukienki były młodzieżowe, zbyt krótkie bądź bardzo drogie. Ostatecznie kupiła klasyczną, prostą sukienkę w niebieskim kolorze, do tego jasne pantofelki na obcasie. Ładnie, elegancko i kobieco – uznała, ładując torby do bagażnika. Nie mogła sobie przypomnieć, kiedy ostatnio była na jakiejś imprezie. To smutne, ale jej pamięć sięgała jedynie do wydarzenia sprzed trzech lat, kiedy to razem z Witoldem byli na weselu jego kolegi z pracy. Bawiła się wtedy wspaniale, choć on większość czasu przegadał z kolegą z fachu. Już wtedy ich małżeńskie relacje nie układały się najlepiej. Kalina westchnęła cicho. Zamknęła bagażnik i weszła do auta. Spojrzała w lusterko, sięgnęła do torebki po pomadkę i pomalował usta błyszczykiem o zapachu słodkiej moreli. Potem spryskała szyję kilkoma kroplami Chanel No 5, które kupiła sobie dawno temu na urodziny. Był to najdroższy perfum, jaki kiedykolwiek posiadała. W końcu przekręciła w stacyjce kluczyk i ruszyła w drogę powrotną, do domu.

Krągłe biodra Toli wydawały się jeszcze większe w skórzanej i obcisłej do bólu spódnicy. Zgrabnym, kocim ruchem sprzątała firmowe szklanki ze stolika, co chwilę zerkając na Witolda.

– I co, mój kociaku, jedziemy? – zaczęła zaczepnie, figlarnie zerkając mu w oczy. Witold poruszył się nerwowo.

– Mówiłem ci już, żebyś tak do mnie nie mówiła w pracy, jeszcze ktoś usłyszy – niemalże warknął, kiwając głową.

– Ale my widzimy się tylko w pracy, nie dostrzegasz tego? – spytała z wyrzutem.

– Nic na to nie poradzę, wiedziałaś jak jest.

– Mieliśmy wyjeżdżać, bawić się, a ty tylko siedzisz przy tym swoim biurku z urzędniczą miną. Jestem zła! – Tola naburmuszyła się ogromnie i prawie ze łzami w oczach skierowała swe kroki do wyjścia.

– Poczekaj! – Witold był szybszy, dobiegł do niej i objął wpół jej zgrabną kibić. – Przecież wiesz, jak za tobą szaleję. Wyjedziemy w ten weekend, obiecuję.

Jej oczy zabłysły.

– A dokąd, mój kociaku? – Chwyciła go za krawat i zaczęła się nim bawić.

– Dokąd zechcesz, masz rację, przyda mi się chwila wytchnienia, wkrótce będzie nas stać na częstsze wyjazdy.

– Och, naprawdę? To cudownie, marzę o dalekich podróżach i weekendowych wypadach do spa.

– Spokojnie, moja droga, wszystko będzie, zobaczysz... – wyszeptał jej do ucha, a następnie namiętnie pocałował.

– Widzę, że ożyłeś – wyszeptała z zadowoleniem, a jej okrągła twarz zaróżowiła się lekko.

– Przy tobie czuję, że żyję.

– Skoro tak, to dlaczego się nie rozwiedziesz? – zaczęła sprytnie, próbując wsunąć swoją wypieszczoną dłoń pod jego koszulę. Witold nieoczekiwanie przeszkodził jej, chwytając ją gwałtownie za rękę.

– Nie rób tego, nie w pracy.

– Pójdę już, mam sporo do zrobienia.

– Pakuj walizki, wyjeżdżamy w piątek po pracy.

– Okej, kociaku, wrzucę do walizki twój ulubiony olejek.

– I swoje bikini – dodał z grymasem, jakby miał ochotę ją schrupać.

Tola stanęła blisko drzwi, posłała mu pocałunek i zniknęła w drzwiach gabinetu. Tymczasem Witold usiadł za biurkiem i sięgnął po telefon.

– Dom wypoczynkowy „Przy Młynie"? Dzień dobry, chciałbym zarezerwować pokój na najbliższy weekend... Tak, dla dwóch osób, najwyższy standard... – Rozsiadł się wygodnie w skórzanym fotelu, po czym wrócił do swoich obowiązków.

Wieczór przyniósł oczekiwane wytchnienie. Gorące, męczące powietrze ustąpiło miejsca przyjemnie orzeźwiającemu chłodowi. Niebieska sukienka wisiała wesoło w szafie, a Kalina paradowała po sypialni w samej bieliźnie, zastanawiając się, czy dokonała właściwego zakupu. Nagły trzask drzwi wskazywał na zjawienie się w domu Witolda. Kalina szybko założyła na siebie wygodną, przewiewną sukienkę. Różowy kolor cudownie ożywiał jej delikatną urodę.

– Myślałem, że znowu siedzisz na tarasie, przyjemna odmiana – zaczął z wyrazem zmęczenia na twarzy.

– Nie, dziś jestem zmęczona, a tobie jak minął dzień? – spytała bardziej dla podtrzymania rozmowy niż z zainteresowania.

– Jak zwykle, spotkania, problemy… A właśnie – chrząknął – wyjeżdżam w piątek na szkolenie.

– Na weekend? Dziwne.

– Do tego już doszło, że nawet w weekend nie ma wytchnienia.

– No tak, a dokąd was wysyłają?

– Na Mazury.

– Ale fajnie, nigdy nie byłam na Mazurach. – Witold poczuł lekkie ukłucie, jej słowa nieoczekiwanie go zabolały. Czyżby odezwały się wyrzuty sumienia? Świetnie wiedział, że już dawno temu przestał się starać i oddalił się od Kaliny w równym stopniu, jak ona od niego.

– A z kim jedziesz? – Jej pytanie gwałtownie wyrwało go z zamyślenia.

– Z kolegami z pracy. Nie znasz ich – odparł wymijająco, unikając jej spojrzenia. Wiedział, jak bardzo potrafi być przenikliwe.

– Oni też są dyrektorami?

– Słucham?

– No chyba to szkolenie dla dyrektorów? Prawda?

– A… Nie, dla wszystkich, to takie ogólne, jakby organizacyjne.

– Rozumiem… Koleżanka Tola też jedzie?

Witold nie spodziewał się takiego toku rozmowy, okulary o mało nie spadły mu z nosa.

– Tola? Skąd wiesz…

– …że taka u was pracuje? Przecież była u nas w domu, wtedy na tamtej kolacji, już nie pamiętasz?

– A tak – uśmiechnął się nerwowo, nieudolnie zdejmując krawat. – Faktycznie, tyle tych pracowników, że nie jestem wstanie wszystkich zapamiętać. – Kalina obserwowała go w milczeniu, natychmiast zauważając jego zakłopotanie i wyraźne unikanie kontaktu wzrokowego. Był nieszczery, a ona nie mogła nic z tym zrobić. Przynajmniej na razie. Na samą myśl, że mogło go coś łączyć z tamtą kobietą, dostawała mdłości.

– Myślałam, że blisko ze sobą współpracujecie.

– Daj już spokój – zgasił ją nagle, nerwowo zdejmując spodnie. – Jestem wykończony, idę pod prysznic.

Kalina nie zareagowała, zamilkła. Czuła się jak w szklanym, hermetycznym pomieszczeniu, bez drzwi i okien. Witold zniknął w drzwiach łazienki, a ona otworzyła szafę, by ponownie spojrzeć na zakupioną sukienkę.

Nawet nie zauważył, że mam na sobie sukienkę, pomyślała smutno, gdy niespodziewanie w rzuconych na podłogę spodniach Witolda rozbrzmiała muzyka. Kalina nachyliła się i sięgnęła do wąskiej kieszeni. Kolorowy ekran wibrował i brzęczał w takt monotonnej melodii.

– Zastrzeżony – wyszeptała i przekornie nadusiła zieloną słuchawkę.

– Słucham? – Po drugiej stronie trwało podejrzane, wymowne milczenie. – Słucham? – powtórzyła, gdy nagle rozmowę przerwano. Kalina westchnęła. Poczuła, jak zaczyna boleć ją brzuch.

Tej nocy złe przeczucia jak nocna zmora nie pozwoliły jej zasnąć. Zrozumiała, że musi znaleźć pracę, i to szybko, jeśli bowiem jej podejrzenia się potwierdzą, to może zostać bez niczego, a miała swoją godność i nie chciała niczyjej litości, a już na pewno nie ze strony nieszczerego męża.

Nadszedł piątek i Witold, zgodnie z zapowiedzią, miał dziś wyjechać. Spakowany w jedną skromną walizkę oświadczył, wychodząc rano, że wyjeżdża zaraz po pracy i wróci w niedzielę wieczorem. Kalina bez słowa kiwnęła tylko głową, czując, że jej związek umiera, a oni coraz częściej żyją bardziej obok siebie niż ze sobą. Blanka była przed egzaminami wstępnymi, które miały się odbyć w najbliższy poniedziałek. W następny piątek Kalinę czekało spotkanie klasowe, jednak na razie o tym nie myślała, próbując wesprzeć córkę w możliwie najlepszy sposób.

Weszła powoli schodami na górę i cicho stanęła pod pokojem Blanki. Przez chwilę wahała się, czy zapukać. Jednak w końcu zrobiła to. Odpowiedziała jej tylko cisza. Chwyciła więc za klamkę i przekręciła ją. Pokój był zaciemniony, a okna przysłonięte spuszczonymi nisko roletami w kolorze cappuccino.

– Blanka, Blanka, czas wstawać, dziecko, obudź się. – Chwyciła za kołdrę, jednak łóżko było puste. Kalina pobladła. – Boże, na pewno uciekła do tamtego chłopaka – szeptała spanikowanym głosem, gdy niespodziewanie rozległ się trzask wejściowych drzwi i na schodach słychać było odgłosy czyichś kroków. Kalina wybiegła z pokoju. Zaróżowiona twarz Blanki spoglądała na nią ze zdziwieniem.

– Gdzie byłaś? Szukałam cię

– Spokojnie, mamo, wyglądasz, jakbyś ujrzała ducha. – Dziewczyna wzruszyła ramionami i skierowała swe kroki w stronę łazienki.

– Bałam się, że… – urwała nagle.

– Że uciekłam? – Zielone oczy córki wpatrywały się w nią z zaciekawieniem. – Na razie nie.

– To ma być żart? Gdzie byłaś?

– Biegałam z psami, są jeszcze na podwórku, nie chciały przyjść do domu, chyba wytropiły jakąś zwierzynę w lesie.

– Nie biegaj sama po lesie.

– Nie byłam sama, Teri i Skot biegały ze mną.

– Wiesz, o co mi chodzi. To niebezpieczne.

– Daj spokój, sama zdezerterowałaś na cały dzień, a mi zabraniasz? – padło ostre stwierdzenie.

– Blanka, po lesie chodzą różni ludzie, nie chcę, by coś ci się stało.

– Myślałaś o tym, gdy ostatnio szłaś tam po ciemku? – W oczach Blanki pojawiło się oskarżenie.

– Ja jestem dorosła, to co innego, nie próbuj mnie oceniać, moje dziecko. Gdy kiedyś wreszcie dojrzejesz i będziesz miała swoją rodzinę i dzieci, to może mnie zrozumiesz. A tymczasem weź prysznic. Z czym zrobić ci kanapki?

– Dlaczego ją kochasz bardziej?

Kalina zadrżała, a Blanka stała tuż za nią, z kapiącym od potu czołem.

– Nie można kogoś kochać bardziej czy mniej. Pytasz o Korę?

– Tak.

– Kocham was równo, zawsze tak było, tyle że za nią bardziej tęsknię, bo nie ma jej już z nami, a ty jesteś. Albo się kogoś kocha, albo nie. Nie da się miłości podzielić na części, to się czuje w sercu. A każda matka kocha swe dzieci równo, tak przynajmniej powinno być.

– Rozumiem.

– Blanka, ja za tobą też tęsknię, zwłaszcza gdy mnie unikasz i przesiadujesz gdzieś bez sensu.

– Jeżdżę do stadniny, mam naukę i sporo zajęć.

– I chłopaka, wiem. Ale mogłabyś czasem wypić ze mną herbatę.

– Pomyślę o tym.

– Wspaniale, a teraz chodź na śniadanie.

– A gdzie tata?

– Musiał wyjechać na szkolenie

– Myślisz, że on nas jeszcze kocha jak dawniej?

Kalina zmrużyła oczy. Zrozumiała, że Blanka dostrzegała znacznie więcej, niż ona by tego chciała. Jej córka dorastała i świetnie wyczuwała, że coś nie skleja się w całość.

– Oczywiście, po prostu czasem gorzej się dogadujemy, ale ciebie zawsze będziemy kochać, bez względu na wszystko.

– Ja wiem swoje, ale nie chcę, żebyście się rozwodzili, a teraz idę pod prysznic – rzuciła nagle i zniknęła w drzwiach łazienki. Kalina z zaskoczoną miną stała jeszcze przez chwilę na korytarzu, a potem zeszła skrzypiącymi schodami na dół, do kuchni, i wstawiła wodę na herbatę. Rozwód... Dotąd o tym nie myślała, jednak powoli zaczynała brać to pod uwagę.

Witold wrócił w niedzielę wieczorem, wyglądał na wypoczętego i zadowolonego. Kalina prasowała białą bluzkę Blanki i granatową spódnicę z satyny, z falbanką u dołu.

– Co porabiałaś przez te dni? Nic się nie wydarzyło? – dopytywał, ciągnąc za sobą walizkę i rozglądając się dookoła.

– A co się miało wydarzyć? Dom stoi cały, obie żyjemy – w głosie Kaliny wyczuwalna była ironia.

– Nie masz humoru?

– Za to ty masz. Jak było na szkoleniu?

– W porządku, dało się wytrzymać.

– Nie wątpię… – dodała kąśliwie, czując, że nie spędził tego weekendu sam. Delikatny zapach kobiecych perfum zdradzał go. – Ładnie pachniesz. – Kalina wpatrywała się w niego zabójczym wzrokiem.

– Tak? Mam nowy zapach.

– Subtelny i kobiecy…

– Jaki? – zaśmiał się, wykrzywiając usta i marszcząc brwi.

– Pachniesz kobiecymi perfumami, a dokładniej mówiąc, tanim perfumem o zapachu róż.

– Oszalałaś! Znowu zaczynasz?

– Posłuchaj, Witold, myślę, że będzie lepiej, jak wyprowadzisz się z naszej sypialni.

Na myśl o tym, że był z inną, robiło się jej niedobrze.

– Zwariowałaś? Nigdzie się nie wyprowadzam, coś z tobą nie tak? Martwię się o ciebie, Kalina.

– Niepotrzebnie, jutro kup sobie coś na obiad, ja zawożę Blankę na egzaminy, a potem jadę na zakupy.

– Egzaminy? Jasna cholera, zapomniałem!

– Spokojnie, zawiozę ją i zaczekam na nią, muszę dopilnować, by tam dotarła.

– Całkiem rozsądnie.

– Dobrze, że choć w tym jednym temacie się zgadzamy.

– Kalina, przecież wiesz, że cię kocham. To dla ciebie.
– Nieoczekiwanie wyjął z walizki małe pudełeczko z piękną bransoletką cenionej firmy Pandora. Cudo kosztowało sporą sumkę. Dawniej Kalina dałaby się pokroić za taki piękny prezent. Bransoletka była srebrna, przeplatana cienkim złotym łańcuszkiem, a małe różowe serduszko zdobiło jej wykończenia.

– Jest cudowna, naprawdę. Ale nie mogę jej przyjąć.

– Dlaczego?

– Nic rozumiesz?

– Nie – rzucił poirytowanym głosem. – Nie rozumiem cię, daję ci taki piękny prezent, a ty się jeszcze boczysz.

– Piękny, tak, ale czy szczery? – padło oskarżenie, a Kalina z oczami, które teraz miotały błyskawice, zniknęła w drzwiach na taras. Witold z niezadowoleniem pokręcił głową, schował bransoletkę do kieszeni marynarki i ruszył schodami na górę, do sypialni. Wyglądał na wściekłego. Kalina przestawała go słuchać i coraz mniej się ze sobą zgadzali. *Czyżby faktycznie coś podejrzewała? Czy nie jestem dość dyskretny?*, zastanawiał się, zdejmując dżinsowe spodnie. Wszedł do łazienki i korkiem zatkał wannę. Po chwili puścił wodę i sięgnął po telefon.

– Mam dla ciebie niespodziankę, kociaku, tak jak obiecałem – wyszeptał do słuchawki, przysłaniając dłonią telefon. – Piękne cacko, które mile cię połechce. – Po drugiej stronie słuchawki rozległ się kobiecy pisk zadowolenia. Witold z uśmiechem na twarzy zakończył rozmowę, następnie wszedł do wanny, w ręku trzymając piękną, pozłacaną bransoletkę, usiadł wygodnie i z podziwem przyglądał się jej licznym zdobieniom.

Kolejny dzień zapowiadał się burzowo. Na niebie straszyły ciemne, gęste chmury, po raz pierwszy od dawna, chłodne powietrze zastąpiło upalny skwar. Kalina z zadowoleniem uchyliła okno. Pomimo że poprzedniego dnia prosiła Witolda, by zmienił lokum, ten uparcie rozłozył się w ich sypialni, udając Greka. Z ubolewaniem spoglądała na niego, nie wiedząc już, kim dla niej jest ten mężczyzna. Czuła, jak staje się jej coraz bardziej obcy i daleki.

Świeży, niemalże dziewiczy zapach lasu wdarł się do środka sypialni, a głośny szum drzew coraz bardziej przywoływał burzę. Zagrzmiało. Kalina ruszyła w stronę łazienki, jednak Blanka wyprzedziła ją, najwyraźniej nie mogąc już spać.

– Wyspałaś się? – Kalina spytała z troską w głosie.

– Tak sobie, denerwuję się, a jak nie zdam?

Kalina westchnęła.

– Jesteś zdolna, tylko leniwa, powinnaś zdać – zaśmiała się.

– To nie jest śmieszne.

– Uczyłaś się, potrzymam za ciebie kciuki, będzie dobrze.

– Przestań mnie pocieszać, bo nigdzie nie pójdę – zagroziła nastolatka, zamykając za sobą drzwi. Podpuchnięte i zaczerwienione oczy Blanki nie zwiastowały niczego dobrego.

– Co z tobą, dziecko? Czy coś się stało? – dopytywała Kalina, gdy jej córka pokazała się w drzwiach łazienki.

– Nic, po prostu faceci są do bani – stwierdziła jednoznacznie i zamknęła się we własnym pokoju. Kalina domyśliła się, że chodzi o jej chłopaka.

– Są, ale na szczęście nie wszyscy. Ubieraj się i schodź na śniadanie, zaraz musimy jechać.

– Grzmi, nie wiem, czy to ma sens.

– Wychodź natychmiast, nie marudź, bo zostaniesz starą panną.

– Wspaniale, tego właśnie chcę – odkrzyknęła Blanka i po chwili pojawiła się w progu swego pokoju.

– Wyglądasz ślicznie. Uczesać cię? – W jej matczynym głosie zabrzmiała nadzieja.

– Nie jestem już małą dziewczynką. – Blanka żachnęła się i ostentacyjnie zeszła na dół, wywołując ostre skrzypienie drewnianych schodów.

Kalina westchnęła zrezygnowana. Po półgodzinie obie siedziały w aucie i wjeżdżały na główną drogę do miasta w towarzystwie szalejących piorunów i gęstych kropli deszczu.

Kolejne dni upłynęły Kalinie w oczekiwaniu na telefon w sprawie pracy, na wyniki egzaminów Blanki i na piątkowe spotkanie z klasą. Wieczorami przesiadywała na tarasie, a w nocy nie mogła zasnąć, upały męczyły ją równie mocno, co niespokojne nadzieje. W końcu przyszedł wyczekiwany dzień i Kalina jak nigdy dotąd zrobiła się na bóstwo. Jasne włosy ułożyła w miękkie, delikatne fale, założyła nową sukienkę, która cudownie opinała jej smukłe ciało, podkreślając zalety jej kobiecej figury. W uszach zawisły długie, srebrne kolczyki z zielonym oczkiem, które idealnie współgrały z barwą jej szmaragdowych oczu. Była to jedna z niewielu pamiątek, które pozostały jej po matce. Na zgrabnej dłoni pojawiła się szeroka, posrebrzana bransoletka. Całość podkreślały delikatne pantofle na wysokim obcasie. Kalina wspominała Witoldowi o swoim wyjściu, jednak on najwidoczniej o tym zapomniał, co potwierdzała jego zszokowana mina, gdy ujrzał odmienioną żonę szykującą się do wyjścia.

– Gdzieś wychodzisz? – Jego zmarszczone czoło i uniesiona brew dodawały mu męskiego uroku. Kalina westchnęła.

– Przecież mówiłam ci, że mam spotkanie klasowe. Pamiętasz list, który otworzyłeś?

– A, tak. I to już dziś?

– Tak, dziś.

– Aha, a gdzie to spotkanie? – Przez cały czas spoglądał na nią z niedowierzaniem.

– W mojej dawnej szkole muzycznej, pamiętasz?

– Jasne, przecież tam się poznaliśmy.

– Tak. Jak wyglądam? – Jej zabójczo zielone oczy wpatrywały się w niego z niecierpliwością.

– Wspaniale, serio, pięknie.

Kalina uśmiechnęła się. Od dawna nie usłyszała od niego tak miłych słów.

– Zapomniałem już, jaka jesteś piękna – wyznał i nagle zbliżył się do niej. Spojrzał jej prosto w oczy i nachylił się, by pocałować jej delikatne, zmysłowe usta. Przez sekundę wydawało się, że dojdzie do tego, lecz Kalina powoli odwróciła twarz. Witold odebrał to jak cios, nie rozumiejąc jej dziwnego zachowania, i mimo że niedawno całował inną, pragnął jej teraz niesamowicie mocno. Kalina czuła jego dwulicowość, zaskoczona jego niespodziewaną chęcią bliskości udała, że nic się nie stało. Delikatnym ruchem ręki wygładziła sukienkę, ponownie zerkając w ogromne kryształowe lustro zdobiące przedpokój. Na chwilę zapadła krępująca cisza.

– Pójdę już, wrócę późno, nie czekaj na mnie. – Nałożyła na ramię klasyczną małą torebkę na łańcuszku, w stylu Chanel. Witold przyglądał się jej w milczeniu, ponurym wzrokiem mierząc jej powabne kształty.

– Jak wrócisz? – spytał nieoczekiwanie, jednak barwa jego głosu nabrała nieco szorstkości.

– Tak jak pojadę, samochodem.

– Nic nie będziesz piła?

– Najwyżej gdzieś przenocuję, w pobliżu jest niewielki hotelik.

– Tak, pamiętam. „Zacisze".

Kalina spojrzała na niego zaskoczona.

– Pamiętasz? Naprawdę?

– Jasne, przecież spędziliśmy tam naszą pierwszą wspólną noc.

Przez chwilę oboje patrzyli na siebie jak dawniej, zupełnie jakby moc dawnego uczucia powróciła na moment. Kalina posmutniała, kiwnęła głową, podeszła do niego i dotknęła jego dłoni. Jego ciało delikatnie zadrżało, jakby porażone tą bliskością. Czuł się jak w potrzasku, między dawnym, gorącym uczuciem, które wciąż się tliło, a chwilami gorących uniesień z inną.

– Miłego wieczoru, a ty gdzieś dziś wychodzisz? – Spojrzała na niego niby ukradkiem.

– Nie wiem jeszcze – zawahał się. – Może pooglądam telewizję.

– Jasne, pojadę już, bo jeszcze się spóźnię.

– Kalina... Pamiętaj, że jesteś moją żoną – rzucił ostrzegawczo, choć najchętniej zatrzymałby ją teraz w domu. Odwróciła się i posłała mu przeszywające spojrzenie.

– A czy ty pamiętasz, że jesteś moim mężem? – Przeniknęła go wzrokiem i powoli zamknęła za sobą drzwi.

Witold poczuł, jak przeszły mu po plecach nieprzyjemne ciarki. Niepewność i wyrzuty sumienia nie pozwoliły mu zasnąć tej nocy.

Intensywny gwar rozmów wypełniał wnętrze ogromnego holu. Panujący tu ogólny tłok wskazywał na liczne przybycie zaproszonych gości. Kalina skierowała swe kroki do głównej sali, w której dawniej nie raz koncertowała. Długi, szeroki stół w większości obsadzony był już przez gości. Przez moment poczuła się niepewnie, miała wrażenie, że nikogo nie poznaje.

– Kalina! – Niespodziewanie usłyszała znajomy głos i szybko odwróciła głowę.

– Ewa? O Boże, Ewka! – W oczach Kaliny stanęły łzy.

– Pięknie wyglądasz, jak zawsze. Dziewczyny! – krzyknęła.

– Zobaczcie, kto przyszedł. A mówiłyście, że nas oleje! – zaśmiała się Ewa, ponownie spoglądając na przyjaciółkę.

– Siadaj, kochana, co pijesz? Jedz, pij i opowiadaj, co u ciebie. Zaczynamy po kolei, czy wiesz, że ostatnio widziałyśmy się dwadzieścia jeden lat temu?

Kalina przyznała jej rację, kiwając głową z niedowierzaniem. Ku jej zaskoczeniu przyszła większość klasy, nawet męska część dopisała, choć nie mogła przypomnieć sobie imion kilku osób.

– Tylko nie mów, że przyjechałaś samochodem – zaczęła wesoło Ewa, która była już po dwóch drinkach.

– Tak, ale w razie czego mogę przenocować w pobliskim hotelu. To żaden problem.

– Skoro tak, to nalejcie jej. Niech się z nami napije, taka okazja szybko się nie powtórzy. Opowiedz, Kalina, jak żyjesz, masz męża? Dzieci?

– Tak, mam męża i córkę, Blanka właśnie niedawno zdawała egzaminy do liceum.

– Zaraz, zaraz, myślałam, że masz nieco starsze dziecko, przecież... a tak... ty tak wcześnie zaszłaś w ciążę – palnęła Jola, a Ewa zasyczała do niej, mrugając i wysyłając jej ostrzegawcze znaki.

– Daj dziewczynie spokój! – Ewka przejęła kontrolę nad sytuacją. – Nie męcz jej, bo nam ucieknie – zaśmiała się głupawo.

– A co ja takiego powiedziałam? – Jola przybrała lekko oburzoną minę.

– W porządku, nic się nie stało – zaczęła Kalina. – Zgadza się, miałam wcześniej córeczkę, ale zginęła w wypadku samochodowym – wyrecytowała jednym tchem i szybko sięgnęła po kieliszek z drinkiem o smaku kokosowym.

– O Jezu, nic nie wiedziałam, tak mi przykro...

– Nie szkodzi, czy możesz zrobić mi jeszcze takiego samego drinka? Jest pyszny... – Kalina nachyliła się nad nią i wyciągnęła pusty kieliszek w jej stronę.

– Dobrze, że tobie nic się nie stało w tym nieszczęsnym wypadku, inaczej nie byłoby cię tu teraz między nami. – Jola nie potrafiła odpuścić, podekscytowana nowinkami nie spuszczała z Kaliny wzroku. Ta zamilkła.

– Jolka, nudzisz się? – wtrąciła Ewa, posyłając jej piorunująco groźne spojrzenie. – Zobacz, czy nie ma cię w toalecie.

– Dziewczyny, opanujcie się – zaśmiał się Bartek. – Proponuję wznieść toast za wspaniałe spotkanie.

Po chwili wszyscy wstali i przechylili kieliszki w radosnym toaście.

Kalina zauważyła, że większość koleżanek nie zmieniła się, wciąż były roześmiane i dziewczęce jak dawniej.

– Słyszałaś, kochana, że Karolina ma raka? Biedulka jest w bardzo złym stanie – referowała nieugięta Jola, nakładając sobie na talerzyk kolejny kawałek czekoladowego ciasta.

– Karolina Skawińska? To okropne! – Kalinę przeszył nieprzyjemny dreszcz, choć była wdzięczna Bartkowi za umiejętną zmianę tematu. Pamiętała Karolinę jako najwyższą z klasy, wieczną spóźnialską i chodzącą z głową w chmurach.

– W dodatku mąż ją rzucił, świnia – kontynuowała Jola. – I licz tu na faceta...

– Daj spokój, Jola, nie wszyscy faceci są tacy źli – podjęła temat Ewa. – Mój mąż na przykład nie opuściłby mnie nigdy.

– Bo na szczęście nie masz raka – zażartowała nieudolnie Jola. Obie z Ewą z nigdy za sobą nie przepadały.

– Pyskate i nieustępliwe jak dawniej – zaczęła ostro Kaśka, z zażenowaniem przysłuchująca się całej rozmowie. – Dałybyście wreszcie spokój na stare lata – zażartowała.

– Jakie stare?

– No, młodziutkie to nie jesteście – rzucił Dawid z drugiego końca stołu.

– A ty to niby co? – naskoczyła na niego Ewa.

– Dziewczyny, chłopacy! – przerwał Kamil. – Słuchajcie, spotkaliśmy się tu po to, by powspominać dawne dzieje, pobawić się, oderwać od problemów, więc niech ktoś wreszcie włączy muzykę, bo mam ochotę zatańczyć.

– Ciekawe z kim? – zaśmiała się głośno Jola, puszczając do niego oko.

– Z moją dawną miłością. – Kamil najwyraźniej był w dobrym nastroju, wstał od stolika i powoli zbliżył się do milczącej od pewnego już czasu Kaliny. – Czy mogę cię prosić? – spytał, nachylając się nad nią. Kalina z ulgą podała mu rękę, wdzięczna za wyrwanie z gniazda pyskatych przekupek.

– Nic się nie zmieniły – powiedział Kamil. – Wciąż się nie cierpią, jak dawniej.

– Dawna miłość? Co to miało znaczyć? – Kalina zaśmiała się, spoglądając na niego ukradkiem.

Po chwili kolejne pary przyłączyły się do nich, zamieniając gwarne spotkanie w przyjemny, taneczny wieczór.

– Nie wiedziałaś, że się w tobie kochałem? – wyszeptał jej do ucha.

– A skąd miałam to niby wiedzieć? Nigdy mi niczego takiego nie wyznałeś ani nie okazywałeś – uśmiechnęła się w lekkim zakłopotaniu. – Ale to miłe, naprawdę.

– Nie było wyznania, bo na horyzoncie pojawił się twój przyszły mąż.

– Cóż… Gdybym wiedziała, że jest jeszcze ktoś, może wtedy nieco bym się zastanowiła.

– A nie jesteś szczęśliwa? – Brązowe oczy Kamila wpatrywały się w nią z troską.

Jego jasne włosy i wyraźne spojrzenie dawniej przykuwały uwagę Kaliny, jednak nie mogła podejrzewać tego, co skrzętnie skrywało jego serce. Wokół niego zawsze kręcił się łańcuszek adoratorek. Kalina uznała, że nie ma sensu wtajemniczać go w swojego życie.

– Nie, jestem szczęśliwa, mam wspaniałą córkę, piękny dom.

– Rozumiem, ale już nie grasz?

– Nie, ale ostatnio staram się to naprawić, po cichu liczę na to, że dostanę pracę i będę uczyła gry na fortepianie.

– To wspaniale! A gdzie?

– W tej nowej szkole muzycznej.

– W tej prywatnej?

– Tak, a co?

– Tak się składa, że tam pracuję, wykładam teorię muzyki.

– Naprawdę? I co, jesteś zadowolony?

– Tak, dyrektorka jest wymagająca, ale to dobrze, przynajmniej szkoła ma wysoki standard.

– Pani Telimena przesłuchiwała mnie, ale na razie nie oddzwoniła, trochę się tym martwię.

– Spokojnie, odezwie się. Jeśli masz dostać tę pracę, to tak się stanie – wyszeptał jej do ucha i przetańczyli tak wspólnie niemalże całą noc.

Dochodziła druga w nocy, a Kalina nawet się nie zorientowała, że jest już tak późno.

– Jestem zmęczona i trochę wypiłam, wszystko mi się lekko kręci – żartowała. – Lepiej zanocuję w hotelu i dopiero rano wrócę do domu.

– Dobry pomysł, odprowadzę cię, jeśli pozwolisz.

– Dziękuję, chętnie skorzystam.

Kalina zbierała się do wyjścia, gdy niespodziewanie podbiegła do niej zziajana Ewa.

– Kalina, nawet nie zdążyłyśmy porozmawiać. Kamil cię porwał i nas olałaś, oj, nieładnie… – Zrobiła smutną minkę.

– A tyle się wydarzyło.

– Wiem, Ewa, ale możemy się przecież jeszcze kiedyś spotkać.

– Ale jak? Dziewczyny przyjechały z daleka. Ty wiesz, że Mirka wyjechała do Nowego Jorku, a Krycha jest już wdową? Mówię ci, masakra.

Kalina zaśmiała się. Kamil mrugał do niej porozumiewawczo z daleka i gotowy do wyjścia czekał już w holu. Pozostali goście powoli się wykruszali.

– Padam ze zmęczenia, Ewa. Masz tu mój numer telefonu, zadzwoń do mnie, naprawdę chętnie się z tobą spotkam.

– Serio?

– Oczywiście, czasem brak mi towarzystwa. Zadzwonisz? – spytała z nadzieją w głosie.

– Jasne, jak mnie mąż jeszcze wypuści z domu. Straszny zazdrośnik, wkurza mnie, ale co zrobić, takiego pokochałam.

– Skoro jest zazdrosny, to pewnie cię kocha.

– Mówisz tak, jakby twój cię nie kochał – zaśmiała się głośno.

Kalina milczała, uśmiechając się lekko.

– Naprawdę muszę już iść, będę czekała na twój telefon.

– Cieszę się z naszego spotkania, zadzwonię, do zobaczenia.

– Pa.

Kalina pożegnała się z resztą klasy; niektórzy przesadzili i ledwo stali na nogach. Jednak tego cudownego wieczoru nikt nikomu nie wyliczał kieliszków. Ważne było samo spotkanie i ludzie na nim obecni. Kamil szarmancko podał Kalinie pikowany żakiet i ruszył pierwszy, otwierając przed nią drzwi. Powietrze nadal było przyjemnie ciepłe. Cykady i świerszcze zdawały się ze sobą konkurować swoją grą. Kalina ukradkiem spojrzała na telefon – ani jednej wiadomości, nic, głucha cisza. Widać, Witold jednak nie bardzo przejmował się jej wyjściem, w każdym razie nie tak, jak sądziła. Kamil chwycił ją pod rękę.

– A ty masz żonę? – Spojrzała na niego z zainteresowaniem.

– Tak, ale już drugą. Pierwsza popełniła samobójstwo.

– Samobójstwo? To straszne, przykro mi, nic o tym nie wiedziałam.

– Skąd miałaś wiedzieć, to ta część mojego życia, o której chciałem zapomnieć na zawsze... – Na jego jasnej twarzy pojawiło się zmęczenie i udręka.

Nic dziwię się. I nie pytam o szczegóły, dobrze, że masz teraz kogoś przy sobie.

– Tak, Aleksandra jest dobrą żoną, ale niestety nie może mieć dzieci, tak więc sama widzisz, że nie mam za bardzo szczęścia do kobiet.

– Nie mów tak. Macie siebie nawzajem i to jest ważne, zawsze można adoptować dziecko. Będziecie mieli dobry uczynek.

– Nie żartuj.

– Nie żartuję, mówię serio.

– Ja nie chcę, nie potrafiłbym być dobrym ojcem dla obcego dziecka.

– Wszystko zależy od priorytetów. A może wcale tak naprawdę tego nie chcesz?

– Dziecka? Nie wiem, nigdy nie myślałem o tym w ten sposób.

– A widzisz… O, to już tutaj, jesteśmy na miejscu – powiedziała, zerkając na stary, choć odnowiony budynek.

– Dziękuję za wspaniały wieczór. Dobrze było cię znowu spotkać.

– Ciebie również. I trzymaj się.

– Ty też. Wciąż jesteś piękna… Oj, głupi byłem…

– Głupi? – Jej wielkie zielone oczy patrzyła na niego zdziwione.

– No, że wtedy nie wyznałem ci tego, co do ciebie czułem.

– No, racja. Szkoda. A wiesz, że nawet mi się podobałeś? – uśmiechnęła się.

– Nie załamuj mnie, a ja myślałem, że nie mam u ciebie najmniejszych szans.

– Hm… Za dużo myślałeś.

– Pewnie tak. Cóż, może się uda i będziemy razem pracować.

– Nie wiem, coś długo to trwa, pewnie już kogoś wybrali, dlatego milczą… – Kalina spuściła wzrok. W rozproszonym świetle starej, ulicznej latarni wyglądała jak piękna nimfa o szmaragdowych oczach.

– Mam ochotę cię pocałować. – Kamil zbliżył się do niej, urzeczony jej urodą.

– Daj spokój. Wszyscy dziś za dużo wypiliśmy – zaśmiała się. – Lepiej idź do domu i pocałuj żonę, pozwól żyć wspomnieniom, nie cofniemy już czasu, zmieniliśmy się, jesteśmy inni.

– Ty nadal jesteś mi bliska.

– Dobranoc, Kamil. – Zbliżyła się do niego i delikatnie pocałowała go w policzek.

– Mam nadzieję, że do zobaczenia. – Chwycił jej dłoń i delikatnie pocałował. Kalinę przebiegło przyjemnie ciepło.

– Zobaczymy, pa.

Pomachał jej na pożegnanie, a ona zniknęła w hotelowym wejściu.

Pokój był skromny i mały, lecz urządzony w ciepłych, pastelowych barwach. Kalina czuła, jak wypity alkohol uderzył jej do głowy, przyjemnie oddając jej ciało w relaksujący niebyt. Zrzuciła z siebie sukienkę i uwierające już buty, po czym westchnęła z ulgą. Następnie podeszła do okna i otworzyła je szeroko, pozwalając, by przyjemny powiew nocnego powietrza wtargnął do środka. Rozgwieżdżone niebo wyglądało bajecznie i majestatycznie, aż miało się ochotę rozłożyć koc na pobliskim trawniku i cieszyć oczy tym widokiem do rana. Ziewnęła, odwróciła się i jednym ruchem padła na łóżko. Sen nadszedł natychmiast.

Za to poranek był ciężki. Toporny ból głowy zbudził ją przed ósmą. Jęknęła głośno. Ponad wszystko pragnęła chłodnego prysznica i mocnej kawy. Po godzinie zmagań doprowadziła się do porządku i stabilnym już krokiem zeszła powoli do stołówki. W cenie noclegu było śniadanie i choć nie miała ochoty na jedzenie, to oddałaby życie za łyk mocnej kawy. Powoli weszła do jadalni, nieliczni goście siedzieli przy ładnie nakrytych stolikach i jedli pachnące serem tosty. Bufet szwedzki był suto zastawiony, stał też samowar z kawą. To tam Kalina od razu skierowała swoje kroki. Chwyciła za małą, białą filiżankę i z rozkoszą nalała do niej ciemny płyn. Z zadowoleniem usiadła przy małym stoliku, tuż przy oknie. Pragnęła tylko ciszy, by delektować się swą upragnioną kawą i uśmierzyć panujący w głowie mętlik.

– Ciężka noc? – niespodziewanie usłyszała za plecami nieznany kobiecy głos. Szybko odwróciła głowę. Nie znała tej kobiety i choć starsza pani wyglądała sympatycznie, Kalina nie miała teraz ochoty na deliberacje.

– Tak, trochę, ale kawa pomaga, zawsze. – Uśmiechnęła się i odwróciła z powrotem do swojego stolika.

– Wiem, że pani mnie nie zna i pewnie się narzucam, ale chcę pani tylko coś powiedzieć, ostrzec – zaczęła tajemniczo kobieta. Kalina niecierpliwie zmarszczyła czoło.

– Ostrzec? – rzuciła przez ramię, a jej twarz wyglądała na zmęczoną. – Nie rozumiem.

– Widzi pani, ja mam dar… Wszyscy się ze mnie śmieją, ale tak już mam, jestem kimś w rodzaju wróżki.

Kalina ciężko westchnęła, nie miała sił na wysłuchiwanie wywodów jakiejś czarodziejki, czy kimkolwiek ona była.

– Rozumiem, ale ja nie wierzę w takie rzeczy, przepraszam panią, ale nieco się spieszę. – Wypiła ostatni łyk kawy i wstała od stolika.

– Dobrze pani z oczu patrzy.

– Proszę mnie źle nie zrozumieć, ale boję się wróżb. Do widzenia.

– Chwileczkę! – Kobieta o kocich oczach lekko dotknęła jej dłoni. – Niech pani uważa, ktoś bardzo bliski… jakiś mężczyzna oszukuje panią. Macie lub będziecie mieli poważne kłopoty finansowe. Niech pani też pilnuje córki, zagraża jej siła natury…

Kalina zmarszczyła czoło, zniecierpliwiona i zdenerwowana tym, co słyszy. Miała ochotę jak najszybciej uwolnić się od towarzystwa dziwnej kobiety. W dodatku czuła się naprawdę kiepsko.

– To niemożliwe, myli się pani, nigdy nie mieliśmy problemów finansowych, to ostatnia rzecz, o którą muszę się martwić.

– To zniszczy pani dotychczasowe życie. – Dziwne, przenikliwe oczy kobiety jakby hipnotyzowały swą siłą. Kalina wysłuchała jej do końca, po chwili czując, że wszędzie ma gęsią skórką.

– To jakieś bzdury, proszę dać mi spokój. – Wyszarpnęła rękę, bojąc się tego, co jeszcze usłyszy.

– Nie martw się, moje dziecko, wyjdziesz ponownie za mąż, ale nie tutaj.

Kalina struchlała.

– Ja? Za mąż? Wolne żarty! I to nie tu? – pytała z niedowierzaniem, uśmiechając się ironicznie.

– Nie w tym kraju, gdzieś indziej, daleko stąd. – Kobieta uśmiechnęła się do niej. – Masz nad sobą dobrego anioła, chyba wiesz o tym.

– Anioła?

– Ty sama wiesz, jakiego. Malutkiego, który czuwa nad tobą – dodała, a Kalinę ponownie przeszyły ciarki. Kobieta mrugnęła do niej porozumiewawczo i niespodziewanie zniknęła w drzwiach jadalni. W oczach Kaliny stanęły łzy, mogła pomyśleć tylko o jednej takiej osobie, lecz szybko odsunęła od siebie te myśli, by nie oszaleć.

– To jakieś wariactwo... – wyszeptała i niezwłocznie ruszyła w stronę portierni. Zdała pokojowe klucze, chwyciła za niewielką torbę i wyszła na zewnątrz. Usłyszane słowa przez resztę dnia wirowały jej w głowie jak oszalałe, dzikie ptaki.

– Miałabym ponownie wyjść za mąż? Co za nonsens, przecież mam męża! Pieniędzy też nigdy mi nie brakowało, Witold świetnie zarabia. – Pokręciła głową, uznając to za niemożliwe. Powoli ruszyła w stronę parkingu, weszła do samochodu i zerknęła w lusterko. Nie wyglądała źle, choć podkrążone oczy bezlitośnie wskazywały na długą i balowo spędzoną noc. Wreszcie odpaliła auto i wjechała na główną drogę prowadzącą do domu.

Weekend minął raczej spokojnie. Kalina doszła do siebie, a Witold przez cały czas kręcił się po domu, odbierając podejrzane SMS-y. Blanka spędzała czas z przyjaciółmi, a Kalina przesiadywała na ukochanym tarasie, podziwiając, jak jaskrawe promienie słońca oświetlają pobliski las i tańczą wesoło po tafli jeziora. Będąc jeszcze w koszuli nocnej, wyszła z kawą w ręce przed dom. Wąska ścieżka, na którą teraz zerkała, prowadziła do malutkiej przystani nad jeziorem, gdzie zacumowana była łódka, na której dawniej pływali wspólnie z Witoldem. Psy biegały wokół Kaliny jak szalone, prosząc o spacer. Kiedy nastał zmierzch, wróciła na taras i dalej spoglądała na rozciągającą się wokół niej pokrytą lasami przestrzeń.

Witold natomiast był jakby nieobecny. Nie dopytywał jej nawet, jak było na spotkaniu, sprawiał wrażenie pogrążonego we własnych, dalekich, tylko jemu znanych myślach. Kalinie pozostawało wsłuchiwać się w śpiew ptaków, szum sitowia nad wodą i cieszyć oczy zielenią sięgającą aż po horyzont. I choć było tu tak pięknie, Kalina nie czuła się szczęśliwa, bo choć miała w domu męża, nauczyła się już samotnie spędzać czas. Razem, ale osobno. I tak co dnia.

Nastał poniedziałek. Witold od samego rana przesiadywał w swoim biurze, gdy do pokoju nieoczekiwanie wtargnęła rudowłosa Tola.

– Miałaś pukać, gdy wchodzisz – rzucił, marudząc pod nosem.

– Chciałam ci tylko podziękować. Jest piękna, cudowna, chyba była bardzo droga. – Szybko zbliżyła się do niego i pocałowała namiętnie. Srebrna bransoletka z małym serduszkiem błyszczała na jej ręce.

– Cieszę się, że ci się podoba. A teraz pozwól, kochanie, że wrócę do pracy – odparł i klepnął ją w pośladki, które lekko zafalowały.

– Ależ ty jesteś służbowy, chciałam ci tylko podziękować – uśmiechnęła się figlarnie.

– Podziękujesz później, ale nie tutaj, rozmawialiśmy już przecież o tym – rzucił niecierpliwie.

– Okej, już dobrze – bąknęła niezadowolonym tonem i ruszyła w stronę drzwi, potrząsając puklem swych gęstych włosów.

– Poczekaj, czy dzwonił może Krzysztof Zagórski? Czekam na jego telefon, to ważne.

– Nie, nikt taki nie dzwonił. – Wzruszyła ramionami.

Witold westchnął ciężko, a jego twarz pobladła.

– Otwórz okno, Tola, duszno tu trochę – poprosił, luzując nieco krawat. – Jak tylko się pojawi lub zadzwoni, od razu kieruj go do mnie, dobrze?

– Tak jest, szefie. – Zatrzepotała sztucznymi rzęsami, posyłając mu figlarne spojrzenie.

Witold uśmiechnął się do niej, jednak jego twarz tego dnia była strapiona. Niecierpliwie pukał palcami w blat stołu, podpisując kolejne ważne umowy i dokumenty. Dochodziła piętnasta, gdy nerwowo chwycił za słuchawkę.

– Tola, miałaś mi dać znać, kiedy ten człowiek się odezwie – rzucił ostro.

– Pamiętam, ale nikt taki dziś nie dzwonił – oznajmiła obruszonym tonem.

– Jesteś pewna?

– Jak najbardziej.

– Rozumiem, dziękuję – odparł, odkładając powoli słuchawkę. Sięgnął do kieszeni marynarki po telefon. Żadnych wiadomości. Ocierając z czoła krople potu, po raz kolejny wybrał znajomy numer, który jakiś czas temu dał mu jego wspólnik – Krzysztof. Trwało nawiązywanie połączenia, a potem dziwny pisk i informacja, że nie ma takiego numeru. Witold spojrzał na wyświetlacz. *Musiałem się pomylić*, pomyślał i ręcznie wprowadził numer z małej, eleganckiej wizytówki: Krzysztof Zagórski. Ogólnopolska Firma Budowlana „Bud-ex”. Niestety po kilku sekundach pojawił się identyczny sygnał z informacją, że nie ma takiego numeru. Witold czuł, że ciężko mu się oddycha.

– Co jest grane? Miał się odezwać dwa dni temu, co on mi dał za wizytówkę? – Poczuł, jak niepewność i strach wypełniają jego wnętrze. Przecież wszystko było dobrze, więc co się nagle stało? Postanowił jeszcze zaczekać kilka dni, jednak miał dziwnie złe przeczucia i niepokoił go brak kontaktu ze strony wspólnika.

– Tola – rzucił, wchodząc gwałtownie do sekretariatu – znajdź mi wszystko o firmie Bud-ex, na wczoraj, dobrze?

– Tak jest, szefie. – Jej zdziwione oczy stały się teraz ogromne. Witold wrócił do swojego gabinetu, jednak do końca dnia nie mógł się już skupić. Uzgodniona budowa miała ruszyć niedaleko stąd, postanowił więc się tam wybrać. *Pewnie tam spotkam Krzysztofa*, pomyślał i ruszył niezwłocznie po zakończonym dniu pracy.

Blanka wróciła do domu późnym wieczorem, zmęczona i nieco umorusana. Swoje wejście jak zawsze obwieściła głośnym trzaśnięciem drzwi.

– W tym domu są klamki – przywitała ją w progu Kalina.
– Dziecko, jak ty wyglądasz? Nic ci nie jest?

– Nie, poturbowałam się trochę, bo Siwa zrzuciła mnie dziś z grzbietu. Głupi koń – wycedziła ostro przez zęby.

– Ciesz się, że nic sobie nie złamałaś, a teraz idź pod prysznic, przygotuję ci kolację.

– Nie trzeba, nie jestem głodna.

– Jak to? A co jadłaś?

– Nic, po prostu nie jestem głodna – rzuciła wymijająco.

– Rozumiem, skoro tak, to trudno… Nie będę cię zmuszała. – Kalina wciąż próbowała zbliżyć się do córki, choć nie potrafiła znaleźć tej właściwej drogi, nie rozumiała, dlaczego stały się sobie tak obce. – Robię niezłe naleśniki, dziś są z owocami i bitą śmietaną – zawołała, stojąc na korytarzu.

Blanka zniknęła jednak w drzwiach łazienki, udając, że tego nie słyszy.

– Jutro ogłoszenie wyników, zawieść cię do szkoły? – spytała z nadzieją w głosie.

– Nie, chyba wolę pojechać tam sama. – Głos nastolatki zabrzmiał jak echo.

– Dlaczego? Jak tam dotrzesz?

– Znajomy mnie zawiezie – odkrzyknęła Blanka i po chwili pojawiła się w progu kuchni czysta i pachnąca jak kwiat.

– Chciałam być z tobą w takiej chwili. Pozwól mi cię zawieźć.

– Nie.

– Możemy pojechać we trójkę – zaproponowała.

– Mamo, zadzwonię do ciebie, jak zobaczę wyniki, okej? – westchnęła ciężko i poszła w stronę swojego pokoju.

– No dobrze, mam nadzieję, że nie zapomnisz. – Kalina nie chciała z nią walczyć, wolała ustąpić i nie narzucać się dłużej.

Jednak nazajutrz rano Blanka wpadła do sypialni jak tornado i zaczęła budzić zaspaną Kalinę.

– Mamo, musisz mnie jednak tam zawieść! – Potrząsała kołdrą z całych sił.

– Ale co się stało? – Kalina patrzyła na córkę nieprzytomnym wzrokiem.

– Alkowi ukradli w nocy samochód. Błagam, zawieź mnie do szkoły, za chwilę będą odczytywać wyniki.

– No dobrze, dobrze, już się ubieram. Daj mi pięć minut i koniecznie zrób mi kawę! – Głos Kaliny rozchodził się teraz po całym domu, tak samo jak głośne tupanie jej bosych stóp.

Ostatecznie dotarły na czas, choć Kalina o mało nie przypłaciła tej szybkiej jazdy mandatem.

– Nadajesz się na kierowcę rajdowego – stwierdziła zachwycona Blanka, odwracając do niej swoją bladą twarz. Jej zielone oczy spoglądały na nią smutno. – A co jak nie zdałam?

– Jak to, przecież mówiłaś, że dobrze ci poszło? – Kalina poczuła lekki ucisk na żołądku. Tego obawiała się najbardziej: że córka jednak nie przykładała się do nauki.

– Tak mówiłam, ale różnie może być.

– Zobaczymy, nie dramatyzuj, wyskakuj z auta i biegnij szybko do auli, bo się spóźnisz.

– Zaczekasz na mnie? – Blanka posłała jej pełne nadziei spojrzenie.

– Oczywiście, a gdzie miałabym teraz być, jak nie tutaj? – Kalina uśmiechnęła się do niej łagodnie i odetchnęła z ulgą. Patrzyła, jak jej dorastająca córeczka, oczko w głowie, znika w drzwiach ogromnego budynku. Przypomniała sobie nagle, że tak samo było, gdy odwoziła ją do przedszkola; mała Blanka zawsze odwracała się na pięcie i spoglądała maślanymi, łzawymi oczami, pytając, o której po nią przyjedzie. Nawet teraz, a może zwłaszcza teraz, Kalina pragnęła być blisko niej, dobrze bowiem wiedziała, że życie ma czasem własne plany, a my nie zawsze jesteśmy gotowi na to, by je przyjąć. W końcu po dwugodzinnym oczekiwaniu Blanka pojawiła się na szkolnych schodach. Nie wyglądała na zadowoloną. Kalina westchnęła z niepokoju.

– I co, jak ci poszło?

– Nie dostałam się do tej klasy co chciałam – zaczęła cichym tonem, unikając badawczego spojrzenia matki.

– Jak to? A do jakiej?

– Startowałam do biologiczno-chemicznej, a dostałam się do humanistycznej, co za nuda.

– Rozumiem, no cóż, dziecko, najwyraźniej zabrakło ci punktów, trzeba było się uczyć, jak mówiłam, a nie włóczyć się z chłopakiem.

– Miałaś mnie wspierać, a nie oskarżać!

– Wspieram cię i dlatego mówię prawdę, nie będę udawała, że jest okej. Mam kłamać? Jesteś zdolna i stać cię na więcej.

Blanka w milczeniu spuściła głowę.

– Pójdę do dyrektora spytać o powód i twoje wyniki.

– Nie trzeba, już pytałam, zawaliłam kilka rzeczy.

– To i cud, że cię przyjęli.

– Daj mi już spokój, miałam się dostać i się dostałam. Podwieziesz mnie do Alka? – Blanka zdawała się niczego nie rozumieć bądź świetnie udawała. Kalina czuła, że za chwilę wybuchnie.

– Chyba żartujesz? Kiepsko, ledwo zdałaś egzaminy, czy ty nie masz żadnych ambicji? Koniec z tym chłopakiem i nawet ojciec ci tu nie pomoże, to dla twojego dobra – rzuciła ostro, a Blanka poczuła, że tym razem to nie przelewki.

– Nie możesz mi tego zrobić!

– Mogę i właśnie robię. Jeśli będę musiała, to zamknę się w domu albo wyślę na jakiś obóz, rozumiesz?

– Nienawidzę cię, słyszysz?

– Blanka, zrozum, jesteś, zawsze byłaś, taka zdolna, dawniej marzyłaś o zawodzie weterynarza, miałaś jakiś cel, zainteresowania, a teraz? Co?

– Kocham go i daj mi wreszcie spokój! – krzyknęła ponownie, po czym zaczęła biec w stronę rynku. Kalina zadrżała. Dała się ponieść emocjom, jednak nie mogła pozwolić córce na taką samowolkę i rezygnację z dobrego wykształcenia. Bardzo obawiała się, że ta młodzieńcza miłość szybko przeminie, a Blanka zostanie sama z humanistycznym programem nauczania i złamanym sercem. Odpaliła samochód i jadąc, rozglądała się dokoła, jednak nigdzie nie dostrzegła córki, jej telefon również milczał. Po ponad godzinnym przeszukiwaniu okolicy Kalina postanowiła wrócić do domu, domyślała się, u kogo może przebywać teraz jej buntownicza córka.

Witold zadzwonił, że wróci do domu później niż zwykle, nawet nie spytał o egzaminy córki, spiesząc się jak zawsze. Kalina wysłała do niej ze sto SMS-ów, ta jednak uparcie milczała, w końcu zjawiając się w domu późnym wieczorem. Kalina obiecała sobie, że dla dobra sprawy zachowa spokój.

– Gdzie byłaś tak długo? Martwiłam się.

– Niepotrzebnie. Pakuję się, przez wakacje zamieszkam u babci Nasturcji, ona jedna mnie rozumie.

– Co? Nie zgadzam się, tutaj jest twój dom.

– Co to za dom? Ojca nigdy nie ma, a ty chodzisz ciągle z psami na spacery albo wiecznie mnie kontrolujesz.

– Chyba się zapominasz, moja panno! Nie jesteś pełnoletnia i nie możesz tego zrobić. Blanka, ja chcę dla ciebie dobrze.

– Babcia czeka na mnie w samochodzie, zgodziła się już.

– Jasne, zrobi wszystko, by wyprowadzić mnie z równowagi.

– Idę się spakować. – Blanka nie miała ochoty na dyskusję, a Kalina czuła, że albo ustąpi, albo wpadnie w dziki szał.

To pierwsze wydawało się w tej chwili rozsądniejsze. Pocieszał ją jedynie fakt, że Nasturcja miała swoje sztywne zasady wychowawcze, przez co miała nadzieję, że będzie krótko trzymała Blankę. Wykorzystując jej nieobecność, Kalina wyszła na dwór, by z nią porozmawiać. Nawet w upalny wieczór Nasturcja była perfekcyjnie uczesana i umalowana. Buty miała jak zawsze na wysokich szpilkach.

– O, jesteś. Co się tu u was dzieje? Dlaczego moja wnuczka nagle oszalała i chce ze mną zamieszkać? – Głos kobiety przybrał nieprzyjemny ton.

– Dobry wieczór – zaczęła Kalina, licząc w myślach do dziesięciu. – Blanka słabo zdała egzaminy i zakazałam jej spotykać się z chłopakiem, ma na nią zły wpływ, a ona jak widać pobiegła do ciebie.

– A do kogo miała pójść? W końcu jestem jej babcią. Cóż, znajdzie się u nas dla niej miejsce. Ale ja lubię spokój, sama wiesz.

– Tak, wiem, ale nie chcę się z nią szarpać, myślę, że za kilka dni jej przejdzie.

– I ja tak myślę. No cóż… przygarnę ją, ale ty, moja droga, nie sprawdzasz się w roli matki, wybacz, ale taka jest prawda.

– Oczywiście, a może spyta mama, gdzie jest Witold?

– A gdzie jest?

– Nie ma go, całe dnie przesiaduje w pracy. Nie bierze udziału w wychowywaniu córki, nigdy nie brał.

– Bo ciężko pracuje! Powinnaś być mu wdzięczna. O, jesteś, moje dziecko! – zawołała, przerywając swoje wywody. – No to wsiadaj i jedziemy. Odezwę się do ciebie – rzuciła w kierunku synowej.

– Blanka – Kalina zajrzała do środka auta – mam nadzieję, że jutro wrócisz do domu. Kocham cię. Kiedyś to wszystko zrozumiesz.

– Wątpię – rzuciła ostro w odpowiedzi nastolatka i odwróciła głowę w drugą stronę.

Kalina stała samotnie na podwórzu i patrzyła, jak jej córka opuszcza dom. Jej matczyne serce mocno krwawiło, jednak dobrze wiedziała, że hardy charakter Blanki i zasadniczość Nasturcji nie pozwolą na to, by jej córka długo zagrzała tam miejsce.

Witolda sprawiał wrażenie zmęczonego i przygnębionego. Mało widoczne dotąd zmarszczki na czole pogłębiły się, a kilka pasemek włosów nabrało srebrnej barwy. Wczorajsza wizyta nad rozlewiskiem potwierdziła jego obawy. Jak mógł być tak głupi i wcześniej tego nie sprawdzić? Żadnych prac, żadnej budowy, wykopów, nic! Dookoła rozciągała się tylko bujna zieleń lasów aż po sam horyzont. Zainwestował wszystko, co miał, w lewy interes, który miał okazać się trafną inwestycją w przyszłość. A firma „Bud-ex" nagle zniknęła z powierzchni ziemi, pytanie, czy w ogóle istniała. Krzysztof Zagórski stał się nieosiągalny, a Witold zastanawiał się, czy zgłosić ten fakt na policję. Wiedział, że jeśli to zrobi, to sprawa ujrzy światło dzienne. A co wtedy powie najbliższym? Uznany dyrektor banku, z wieloletnim doświadczeniem, dał nabić się butelkę dawnemu kumplowi, a Kalina i rodzice nigdy nie wybaczyliby mu potajemnych interesów i dopuszczenia do utraty domu.

Z głową pochyloną nad biurkiem powoli składał małe kawałki w całość. Świadomość, że stał się bankrutem, docierała do niego powoli, choć z każdą chwilą coraz bardziej świadomie i boleśnie.

– Co teraz zrobię? Co będzie z domem? Nie mogę przyznać się Kalinie do prawdy, to byłby koniec.

Nagle do gabinetu wtargnęła Tola. Powabnym, kocim ruchem przybliżyła się do jego biurka.

– Co się stało, dlaczego jesteś taki przybity? Źle się czujesz?

Głęboki dekolt uwydatniał jej kobiece wdzięki.

– Mam dziś jeszcze jakichś petentów? – spytał nieobecnym głosem.

– Chyba nie, a co? Zabierasz mnie gdzieś? – W jej kobiecym głosiku dało się wyczuć lekką nutę podniecenia i ekscytacji.

– Nie, muszę wyjść, źle się czuję. Wybacz, będę jutro rano. – Po czym wstał od biurka i sięgnął po swoją teczkę.

– Jak to? Zostawiasz mnie tu samą? A co z naszym wieczorem? – Jej rozczarowane spojrzenie ścigało jego nieobecne oczy.

– Przykro mi, ale nie dam dziś rady, wychodzę. Pa, kotku.

– Pa – odparła i zaraz po tym chmura gradowa wystąpiła na jej czole.

– Co za tupet… – wyszeptała do siebie przez zaciśnięte zęby. – Tak mnie zostawić, bez wyjaśnienia? Chyba muszę zmienić faceta – stwierdziła, po czym zamknęła okno i wyłączyła komputer stojący na biurku. – Bufon – skwitowała i nadąsana wyszła z gabinetu.

Witold długo siedział w swoim aucie i zastanawiał się, co zrobić. Nagle przypomniał sobie o dawnym kumplu Feliksie, który swego czasu stał się znanym i rozchwytywanym detektywem. Witold miał nadzieję go odszukać, mogła to być dla niego ostatnia deska ratunku.

Kojący szum wysokich drzew zagłuszał smutek w sercu Kaliny. Teri i Skot biegały radośnie po lesie, a ona spacerowała, wsłuchując się w ptasie śpiewy i ich cudowne arie. Zachowanie Blanki bardzo ją zabolało, nie poznawała swojej odmienionej córki, a dawne, spokojne życie zaczęło wymykać jej się z rąk.

Zapach lasu unosił się dokoła, a lekki wiatr przyjemnie muskał jej delikatną twarz. Znana ścieżka powoli zawężała się, jednak tym razem Kalina nie zamierzała iść na cmentarz, nie dziś. Psy szczekały w oddali, gdy niespodziewanie zabrzmiał telefon w kieszeni jej kwiecistego, zwiewnego kombinezonu.

– Tak, słucham? – spytała łagodnie, mając nadzieję, że to Blanka.

– Dzień dobry. Tutaj Telimena Zapolska, pamięta mnie pani?

– Tak, oczywiście, czym mogę pani służyć?

– Dzwonię w sprawie naszej rozmowy o pracę, czy nadal jest pani nią zainteresowana?

– Tak, oczywiście, jestem. – Kalina poczuła, jak wesołe motyle wariują teraz w jej brzuchu.

– Wspaniale, w takim razie, czy możemy się spotkać, powiedzmy… dziś o piętnastej? Przedstawię pani warunki naszej propozycji i jeśli się dogadamy, to podpiszemy umowę o pracę.

– Mówi pani poważnie?

– Jak najbardziej, ma tu pani wielkie poparcie, również pan Kamil chwalił panią za talent i gwarantuje, że świetnie sprawdzi się pani w roli nauczyciela. A zatem widzimy się dzisiaj?

– Tak, będę na pewno, dziękuję za telefon, bardzo się cieszę.

– Do zobaczenia.

– Do zobaczenia.

Kalina jeszcze przez chwilę po zakończonej rozmowie stała bez ruchu, uśmiechając się do siebie. Czyżby los nagle postanowił dać jej szansę?

– Nie wierzę! Mam pracę! Pieski! Wracamy do domu! – zawołała z radością i odwróciła się na pięcie. Dochodziła godzina trzynasta, a ona musiała się jeszcze odpowiednio się ubrać i zdążyć na czas. – Cudownie! – powtarzała z radością, a szum lasu i śpiew ptaków zgodnie wtórowały jej słowom.

– Więc jak? Możemy zacząć od pierwszego września? – pani Telimena wyglądała na ożywioną. Kalina siedziała naprzeciwko niej, zerkając na swoją rozmówczynię zza wielkiego, dębowego biurka.

– Oczywiście, jak najbardziej. – Uśmiech nie schodził z jej twarzy.

– Wspaniale, tutaj jest wstępny plan nauczania, bardzo proszę, by się z nim pani zapoznała. Zgoda?

– Tak, koniecznie, a jaką klasę dostanę? – dopytywała, głośno przełykając ślinę.

– Jak pani wie, nasza szkoła jest szkołą muzyczną pierwszego i drugiego stopnia, pani dostanie kilku uczniów z klasy o stopniu pierwszym.

– Rozumiem.

– To bardzo zdolne dzieci, w większości chętne do nauki, więc nie powinna pani mieć większych problemów. Oczywiście znaczy to, że będzie pani miała lekcje indywidualne z tymi uczniami, którzy wybrali fortepian. Poprowadzi pani również rytmikę i kształcenie słuchu w klasie najmłodszej.

– Czyli jakiej?

142

– Sześcio- i siedmiolatki, czy to pani odpowiada?

– Tak, lubię młodsze dzieci.

– Cudownie, będę od pani wymagała również nie tylko sprawdzania ich uzdolnień muzycznych, ale również predyspozycji do gry na tym wspaniałym instrumencie.

– Tak, oczywiście...

– Nie wszystkie z tych dzieciaków posiadają odpowiednie warunki psychofizyczne. Myślę, że pani poradzi sobie z tym zadaniem.

– Postaram się.

– Cudownie.

– Czy ma pani jeszcze jakieś pytania?

– Na razie nie.

– Cudownie – powtórzyła Telimena. – Zatem proszę spokojnie zapoznać się z niniejszą umową i jeśli zaakceptuje pani warunki oraz wynagrodzenie, to proszę podpisać w miejscach zaznaczonych krzyżykiem.

– Dobrze.

– Ja w tym czasie zaparzę nam kawy.

– Dziękuję – odparła Kalina z wdzięcznością w głosie. Właśnie spełniało się jej największe marzenie, czuła, że powoli odzyskuje władzę nad własnym życiem i wszystko inne musi się teraz ułożyć.

W drodze powrotnej kupiła dobre czerwone wino gruzińskie Akhasheni i z ekscytacją wypisaną na twarzy pojechała do domu, nie mogąc się doczekać reakcji Witolda. Kiedy dotarła na miejsce, męża nie było, tylko psy leżały pod drzwiami, wiernie czekając na swoją panią. W końcu około godziny dwudziestej Witold zawitał do domu, nie był jednak w nastroju do rozmów.

– Późno wracasz – przywitała go. Kalinie nie podobały się jego coraz późniejsze powroty do domu. – Gdzie byłeś tak długo?

– W pracy, a gdzie miałem być? – rzucił nieco opryskliwie. Kalina odniosła wrażenie, że czuje od niego alkohol.

– Banki pracują do dwudziestej? Od kiedy?

– Jestem dyrektorem, zapomniałaś już?

– Nie, ty nie dasz nikomu o tym zapomnieć. Piłeś dziś alkohol? – Zieleń jej oczu przenikała teraz jego smętne spojrzenie. Oczy zdradzały go niezaprzeczalnie.

– Oszalałaś? Co znowu przyszło ci do głowy? – Wzruszył obojętnie ramionami i ruszył schodami w górę.

– Może bywam czasem zakręcona, ale węch mam jeszcze dobry. Piłeś i nie kłam, jechałeś autem? – spytała oskarżycielskim tonem.

Witold spojrzał na nią z góry.

– Jestem wykończony, idę się wykąpać. Daj mi już spokój.

– Szkoda… Chciałam ci tylko zakomunikować, że dostałam pracę i od września będę uczyła gry na fortepianie w szkole muzycznej.

Witold, aż cofnął się na korytarz.

– Co ty mówisz? To jakiś żart?

– Nie, mówię serio.

– Więc dopięłaś swego, gratuluję! Wszystko jest nie tak, Kalina, wszystko jest nie tak… – powtarzał machinalnie i po chwili zamknął się w łazience. Kalina z miną zbitego psa stała na dole i ze zdumieniem spoglądała na swoje odbicie w ogromnym lustrze w przedpokoju. Wyrażało ono pustkę i samotność, nie miała nawet z kim świętować swojego sukcesu, z trudem hamowała napływające do oczu łzy.

– Teri, Skot! Chodźcie, pieski, idziemy na spacer! – zawołała, sięgając po długi, dżersejowy szal. Wieczór przywitał ją orzeźwiającym chłodem i choć powoli nadchodził zmierzch, postanowiła wybrać się na krótką wędrówkę. Spacery i rozmyślania zawsze jej pomagały. Jedynie wśród leśnych ścieżek nie czuła się samotna, a lekki wiatr, który jej towarzyszył, delikatnie rozwiewał jej włosy.

Nazajutrz rano Blanka wróciła do domu z podkulony ogonem. Kalina umiejętnie skrywała swoje zadowolenie, dziękując Bogu za twarde zasady Nasturcji. Choć w czymś nieświadomie jej pomogła.

– Babcia cię już wygnała? – dopytywała, szykując śniadanie. Zapach jajecznicy z cebulką, pomidorem i boczkiem rozchodził się po całym domu. Psy też już czekały przy swoich miskach, popiskując z niecierpliwości.

– Poczekajcie na swoją kolej! – zawołała, sięgając do lodówki po puszkę z karmą.

– Nie, to ja miałam ich dość. – Blanka kręciła się bez celu przy tarasie. – Ciągle tylko mówili mi, że tego nie wolno, a tego nie wypada. Masakra, babcia jest sto razy gorsza od ciebie!

– Mamo! Nie przypominam sobie, byśmy kiedykolwiek przeszły na ty, chyba należy mi się choć odrobina szacunku?

Blanka ze wstydem spuściła powieki

– No dobrze, mamo, a gdzie jest ojciec?

– Nie wiem.

– Przecież dziś sobota.

– Chyba jeszcze śpi.

– Zawołam go.

– Jak chcesz. Poczekaj, Blanka. Muszę ci coś powiedzieć, dostałam pracę.

– Jaką?

– Będę uczyła gry na fortepianie i rytmiki, czy to nie wspaniale?

– A więc uciekasz od nas?

– Jak to?

– Nie jesteś już z nami szczęśliwa, dlatego to robisz?

Kalina poczuła się dziwnie.

– Kto tak powiedział?

– Ja tak mówię. Mam oczy, nie jestem już głupią, bez-myślną nastolatką.

– Nigdy taka nie byłaś, jesteś bardzo mądra i bystra, choć bywasz leniwa i przekorna.

– Więc jak jest?

– Nadszedł czas, bym zrobiła coś tylko dla siebie. Nie ma w tym innych podtekstów.

– Okej, skoro tak, muszę przyznać, że lubię, kiedy grasz na fortepianie. Jest wtedy jakoś weselej.

– Naprawdę? – Na twarzy Kaliny zagościł uśmiech.

– Tak, ale i tak jestem załamana, bo co ja będę robiła w tej klasie humanistycznej, mamo? Zanudzę się tam.

– A może nie? Nic nie poradzimy, to jeszcze nie studia, a może zmienisz zainteresowania? Zawód weterynarza nie należy do łatwych.

– Ale ja tak kocham konie.

– Wiem, ale żeby je kochać, nie musisz od razu zostać weterynarzem, przecież nadal możesz jeździć konno i cho-dzić do klasy humanistycznej, będziesz uczyła się języków obcych, historii, kultury, a z tego, co się dowiedziałam, w trzeciej klasie będziesz mogła zapisać się na zajęcia fakultatywne z biologii i chemii.

– Cudownie, ale Alek nie będzie w mojej klasie – zaczęła smutno.

– Córcia, to twój chłopak, jeśli cię naprawdę kocha, to niczego to nie zmieni, przecież będziecie w jednej szkole, będziecie się widywać na przerwach i po lekcjach. To nie problem.

– Tak myślisz?

– Ja to wiem.

Po chwili w drzwiach kuchni pojawił się Witold. Wyglądał jak cień człowieka, zmieniony, wydawał się jakby obcy.

– Muszę wyjść – poinformował machinalnie, tym razem ubrany w jasne, bawełniane spodnie i koszulkę z krótkim rękawem.

– Przecież nic nie zjadłeś, a kawa? – Kalina przyglądała mu się podejrzliwie.

– Nie jestem głodny, mam ważne spotkanie, będę później.

– Dziwnie się zachowujesz, czy coś się stało?

– Nie, dlaczego, co niby miało się stać? – Jego czoło zmarszczyło się gniewnie.

– Jak chcesz – westchnęła ciężko Kalina. – I tak zrobisz, co zechcesz…

– Nie zrozumiesz tego, muszę iść, pa – rzucił niemalże służbowo i po chwili zniknął za drzwiami i dało się słyszeć ich trzask. Nawet nie wiedział, że jego córka spędziła noc u dziadków.

Kalina i Blanka spojrzały na siebie ze zdziwieniem.

– Pokłóciliście się znowu?

– Nie, nie wiem, co się dzieje, jest niezadowolony, bo zaczynam pracę.

– Myślę, że ojciec ma jakieś kłopoty, ale nigdy się do tego nie przyzna.

– Skąd takie podejrzenia?

– Nie wiem, po prostu tak myślę, ale jak będziecie chcieli się rozstać, to najpierw mnie uprzedź, babcia mówi, że i tak to kiedyś nastąpi, bo już się nie kochacie… – oznajmiła druzgocąco szczerze, po czym chwyciła szklankę z wodą i wyszła na taras. Kalina milczała, co miała odpowiedzieć, skoro sama myślała podobnie. Dziwne zachowanie Witolda wprawiało ją w niepokój, nie wiedziała, czego może się po nim spodziewać, zwłaszcza, że znikał z domu coraz częściej.

– Czy to biuro detektywistyczne? – Drżący głos Witolda wydawał się dziwny, jakby metaliczny.

– Tak, słucham? – W słuchawce zabrzmiał młody, kobiecy głos.

– Szukam Feliksa Kliczko, czy może u was pracuje?

– Tak, to jego agencja, a kto mówi?

– Wspaniale, nazywam się Witold Adamowicz, jestem jego dawnym kolegą, jeszcze ze szkoły, chciałbym się z nim spotkać, jak najszybciej...

– Chwileczkę. Szefie! – zawołała kobieta. – Proszę zaczekać, zapytam, czy znajdzie dla pana czas.

– Dziękuję, zaczekam.

Po jakichś dwóch minutach kobieta odezwała się ponownie.

– Halo? Jeśli panu pasuje, to proszę przyjść za pół godziny, szef akurat ma wolną chwilę i wtedy może pana przyjąć.

– Dziękuję pani, a na jakiej to ulicy?

– Na Starowiejskiej 15, zapamięta pan?

– Tak, wiem, gdzie to jest, dziękuję.

– Proszę bardzo.

Witold schował telefon do kieszeni spodni i z nadzieją w sercu wsiadł do samochodu. Parking, na którym przystanął, stawał się coraz bardziej zatłoczony.

Wnętrze biura detektywistycznego zostało urządzone skromnie i typowo po męsku. Czarne, ciężkie meble kontrastowały z jasnymi ścianami, obwieszonymi licznymi wyróżnieniami, dyplomami z ukończenia kursów. Wystrzałowa blond piękność siedziała za biurkiem, była tu jak ta przysłowiowa wisienka na torcie.

– Czym mogę panu służyć? – spytała, odrzucając swe długie włosy do tyłu. Krótka, beżowa sukienka podkreślała jej powabną figurę i subtelną urodę.

– Dzień dobry. – Kiwnął głową w jej stronę. – Dzwoniłem niedawno. Witold Adamowicz.

– Ach, tak, szef czeka na pana, zapraszam do środka.

– Dziękuję.

Gabinet już od progu przytłaczał ciężkością swego wystroju.

– Witek? Nie wierzę, kupę lat! – Mężczyzna ze złotym sygnetem na palcu podszedł do niego i podał mu dłoń. Witold poczuł jego mocny uścisk. – Co cię do mnie sprowadza? Siadaj. Kawy, herbaty?

– Whisky… – rzucił ciężko Witold i siadł w przepastnym, ciemnym fotelu.

– O, stary, widzę, że ostro idziesz… Zmieniłeś się.

Twarz Witolda nie wyrażała niczego poza udręką.

– Mam poważne problemy i zrobię wszystko, byś mi pomógł… – zaczął tajemniczo, ocierając z czoła krople potu.

– Naleję ci, a ty opowiadaj. – Feliks podszedł do baru i sięgnął po niski, owalny kieliszek.

– Szukam niejakiego Krzysztofa Zagórskiego. Okradł mnie na mnóstwo pieniędzy, nie mam już nic, stracę dom, pracę i rodzinę… Chyba że mi pomożesz i jakimś cudem go odnajdziesz.

– A jeśli go znajdę, co wtedy? Mam go załatwić? – Feliks zaśmiał się w głos, szczerząc przy tym swoje nierówne, białe zęby.

– Załatwić? Chcę tylko odzyskać moją kasę.

– A jeśli nie będzie to możliwe?

– Wtedy zrób z nim porządek, facet zniszczył mi życie. – Witold siedział w fotelu z kamienną miną.

– Rozumiem… Postaram się to załatwić. W ten sposób spłacę mój dawny dług wobec ciebie.

– Stare dzieje.

– Okej, stary, masz to załatwione.

Upłynął tydzień. Kalina przygotowywała się do pracy, którą miała wkrótce podjąć, a Blanka wyjechała na obóz jeździecki do pobliskiej stadniny. W domu panowała cisza, Witold snuł się wieczorami po domu jak cień, zazwyczaj z kieliszkiem w dłoni, pogrążony we własnych, dalekich myślach. Kalina zauważyła, że od jakiegoś czasu mąż coraz częściej popija alkohol i, co gorsza, siada potem za kierownicę, czując się zupełnie bezkarnie.

– Co się z tobą dzieje, dlaczego ostatnio ciągle pijesz? – zaczęła, uważnie przyglądając się mężowi.

– Daj mi spokój. Mam takie sprawy na głowie, o których nie masz nawet pojęcia.

– Jakie sprawy?

– Lepiej o nic nie pytaj.

– Coś nie tak w pracy?

Witold westchnął ciężko.

– Trzymaj się od tego z daleka, Kalina, zostaw to mnie. To moje problemy.

– Nie rozumiem cię, przecież jesteśmy małżeństwem.

– Naprawdę? Co ty nie powiesz... – rzucił ostro, obdarzając ją ponurym spojrzeniem.

– Co ty mówisz? – Jej intensywnie zielone oczy pociemniały teraz ze złości. – Możesz mi to wyjaśnić?

– Na papierku tak, ale dobrze wiemy, że nie jesteśmy razem już od dawna.

Kalina zamilkła, sama już nie wiedziała, co czuje do mężczyzny, z którym mieszkała pod jednym dachem, miała dziecko i przeżyła wspólnie dwadzieścia lat. Niestety, bliższe stały się jej psy i spacery z nimi niż on. Ta prawda tkwiła w niej jak ostry sztylet, który wciąż boleśnie o sobie przypominał.

– Masz rację – zaczęła po chwili cichym głosem. – Nie wiem już, czy coś nas jeszcze łączy.

Witold zamknął oczy i oparł głowę o podgłówek fotela. Kalina odczuła swego rodzaju ulgę.

– Nie myśl tylko, że dam ci rozwód – nagle zabrzmiały jego posępne słowa. – Nigdy.

– Pozwól, że sama zdecyduję, co dalej zrobić ze swoim życiem. Niedługo zaczynam pracę, pamiętasz?

– Niestety tak. A czym będziesz tam dojeżdżała? Zapomnij, że dam ci samochód!

– Jak to? – W jej pięknych oczach pojawiły się błyskawice.

– Dobrze wiesz, że nie chciałem, byś pracowała – wyjaśnił, dalej opierając głowę na fotelu.

– A więc karzesz mnie w ten sposób? W takim razie sama sobie poradzę, bez twojej łaski.

– Czyli jak?

– Pociągiem. Będę dojeżdżała pociągiem, już sprawdziłam połączenia, przewidziałam, że będziesz robił mi problemy! Jesteś żałosny – skwitowała krótko i zniknęła w drzwiach tarasu. Witold wykrzywił twarz w grymasie.

– Jak sobie chcesz, sama się zniechęcisz i prędzej czy później stwierdzisz, że to nie ma sensu – tłumaczył z pewnością w głosie. Jednocześnie co chwilę zerkał na telefon, czekając na informacje o postępach w sprawie zleconej Feliksowi. Po chwili odwrócił głowę i podążając wzrokiem za Kaliną, przyglądał się, jak pięknie wygląda, niczym delikatna nimfa zerkająca na taflę jeziora. I mimo że nie rozumiał jej pobudek i problemów, to nie chciał jej stracić. W jakimś sensie Kalina stała się jego azylem, bezpiecznym portem, do którego lubił czasem zawitać, gdy morskie wiatry okazywały się niepomyślne.

W końcu nastał pierwszy dzień września. Kalina biegała nerwowo po pokoju, szukając swojej srebrnej bransoletki. Wyglądała elegancko i szykownie. Czarna sukienka z pikowanymi kwiatami na dekolcie prezentowała się na niej cudownie. Wysoko upięte włosy, odsłaniające jej długą, zgrabną szyję, i długie kolczyki z zielonym oczkiem dopełniały reszty. Spojrzała pospiesznie na zegarek; dochodziła ósma, na dziewiątą powinna być w szkole, a jeszcze musiała podjechać na dworzec.

– Zawieźć cię? – Witold z zainteresowaniem spoglądał na jej zgrabną figurę. Na twarzy Kaliny pojawił się dziwny grymas.

– Nie, dziękuję, poradzę sobie. Koleżanka będzie mnie podwoziła, też dojeżdża do pracy. Skąd ta nagła zmiana? – Posłała mu przez ramię przeszywające spojrzenie.

– Tak sobie. Ładnie wyglądasz – rzucił, a po chwili wzruszył ramionami.

Kalina złapała leżącą na łóżku czarną torebkę na łańcuszku, wsunęła na nogi pantofle na szpilkach i ruszyła w kierunku schodów.

– O której wrócisz?

– Nie wiem. Ty też mi nie mówisz, gdzie wychodzisz i o której zawitasz w domu – odcięła się z satysfakcją i spokojnie ruszyła przed siebie. Trzaśnięcie drzwi potwierdzało jej wyjście. Po półgodzinie siedziała już w wygodnym wagonie, pociąg był w środku czysty, a czekająca ją podróż była dla niej podniecającym, odmiennym przeżyciem. Od dawna marzyła, by coś się zmieniło w jej życiu, i to wreszcie zaczynało się dziać. Czując w brzuchu lekkie łaskotanie, spojrzała w pociągowe okno. Pojedynczy ludzie stali na peronie i cierpliwie czekali na swój pociąg. Inni biegli, spieszyli się lub siedzieli na ławce zaczytani w prasie lub książce.

Wreszcie pociąg ruszył, a Kalinę przeszedł dreszcz emocji. Czuła podekscytowanie i lekki strach jednocześnie, miała nadzieję, że sprosta wyzwaniu i odnajdzie się w tej pracy. W przedziale nie było tłoczno, a jazda pociągiem była dla niej przyjemną odmianą od nudnej codzienności.

– Wreszcie robię coś dla siebie – szeptała cichutko, a kąciki jej ust lekko się uniosły w zadowoleniu. Nagle spojrzała w prawo i oniemiała. Za szklanymi, przesuwanymi drzwiami wagonu stał *on*… Dawny znajomy z marketu. Od razu poznała te ciemne, cudowne oczy wpatrujące się w nią z uwagą i niezwykłym ciepłem. Mogłaby utonąć w ich otchłani. On był ostatnią osobą, którą spodziewałaby się jeszcze kiedyś spotkać, a już na pewno w pociągu. Promienny uśmiech od razu zagościł na jego śniadej, lekko zarośniętej twarzy. Nie mogła go nie odwzajemnić, a po chwili jak gdyby nigdy nic znajomy uchylił drzwi przedziału i pojawił się tuż obok niej.

– Co za spotkanie! – zaczął wesoło, siadając bez pytania tuż przy niej. Kalina zadrżała, poczuła, jak jego kolano delikatnie dotyka skrawka jej sukienki. Od dawna nie czuła niczego przyjemniejszego.

– Racja… Jestem zaskoczona… Co pan tu robi? – pytała z niedowierzaniem i lekkim zmieszaniem jednocześnie. Nie mogła zrozumieć, dlaczego ten mężczyzna wywołuje w niej aż tak gwałtowne i nieznane dotąd emocje. Jednocześnie cieszyła się z tego niezwykłego spotkania.

– Dojeżdżam tak już od miesiąca do pracy, a ty? – przeszedł nagle na stopę bezpośrednią.

– Ja… ja też do pracy, dzisiaj mój pierwszy dzień.

– Serio? Myślałem, że należysz do tych kobiet, które nie wysuwają nosa z domu – zażartował.

– Naprawdę tak o mnie pomyślałeś?

– Naprawdę. Zwłaszcza gdy nie przyszłaś na umówioną kawę, a ja czekałem… – Uniósł brwi, a Kalina delikatnie się zarumieniła.

– Naprawdę nie mogłam wtedy przyjść, to było… niezależne ode mnie – wyjaśniła krótko, unikając jego spojrzenia.

– To było jak cios prosto w serce, ale rozumiem. Za to widzimy się teraz, pięknie wyglądasz, jednak wciąż nie znam twojego imienia. – Jego bezpośredniość obezwładniała ją całkowicie. Jej koleżanka, dotąd pochłonięta czytaniem gazety, nie odrywała od nich wzroku, mrugając przy tym znacząco w jej stronę. Kalina musiała udawać, że tego nie widzi, inaczej parsknęłaby śmiechem.

– Kalina – przedstawiła się, spuszczając głowę. – Mam na imię Kalina.

– A ty nie spytasz o moje imię? – W jego oczach pojawiło się lekkie rozczarowanie.

– Po twoim akcencie domyślałam się, że będzie brzmiało egzotycznie.

– Ratimir. Czy to brzmi dość egzotycznie?

– Jak dla mnie wystarczająco – uśmiechnęła się. – To imię chorwackie?

– Nie, choć byłaś blisko. Jestem Czarnogórcem.

– Naprawdę? To interesujące.

– Tak? Dlaczego? Kraj jak inne.

– Niekoniecznie, dla mnie wszystko, co nieznane, jest interesujące, a o twoim kraju nie wiem nic.

– Chętnie ci opowiem.

– Może innym razem, zaraz będzie moja stacja, tu wysiadam. – Poprawiła delikatnie upięcie włosów.

– Szkoda, ja wysiadam na następnej... – Po czym wstał razem z nią, wprawiając ją tym samym w lekkie zakłopotanie. Kalina czuła, jak dłonie delikatnie drżą jej z podniecenia.

– Miło mi było cię znowu spotkać. Cześć – rzuciła, kierując się w stronę wyjścia.

– Poczekaj! Będziesz tu jutro? Spotkamy się jeszcze? – Intensywność jego spojrzenia zahipnotyzowała ją na chwilę.

– Tak, będę – odparła z uśmiechem i powoli odwróciła się w stronę wyjścia. Napierający pasażerowie mimowolnie popychali ją do przodu, a ona musiała się temu poddać. Po wyjściu na zewnątrz odruchowo spojrzała w stronę okna, gdzie jego łagodna twarz i ciemne oczy również szukały jej wzrokiem. Przez chwilę ich spojrzenia spotkały się, zanim pociąg potoczył się dalej. Kalina zerknęła ponownie na wagonowe okno, lecz pociąg oddalał się coraz bardziej i bardziej, aż zniknął za zakrętem. Poczuła, jak przedziwne ożywienie, radość i nadzieja wypełniają jej wnętrze. *Czy spotkam go jutro?*, zastanawiała się z nadzieją rosnącą w sercu. Spojrzała na zegarek, musiała się pospieszyć, inaczej spóźni się już pierwszego dnia, a Telimena z pewnością by jej tego nie wybaczyła.

– No, jest pani wreszcie – usłyszała głos starszej pani. – Oto pani podopieczni: czworo sześcio- i dwoje siedmiolatków – zaczęła Telimena, gdy tylko Kalina przekroczyła próg klasy. Dzieci, przestawcie się – nakazała, zerkając w jej stronę. Uśmiech nie schodził z twarzy Kaliny, a ona sama wyglądała na szczęśliwą i cudownie odmienioną. Gromadka dzieci przepychała się w jej kierunku, z żywym zainteresowaniem na twarzach.

– Jestem Zygmunt – zaczął mały brunet o groźnym spojrzeniu.

Tosia, Julka, Zuza – dzieci wymieniały kolejno swoje imiona. Olga i Kuba – dokończyło dwoje siedmiolatków.

– Och, miło mi. A ja jestem Kalina.

– Pani Kalina – natychmiast poprawiła ją Telimena, spoglądając badawczo w jej stronę.

– Tak, pani Kalina, miło mi, że mogę was uczyć gry na fortepianie i mam nadzieję, że wy również mnie polubicie.

– Zobaczymy – odparł markotnie Zygmunt, wzruszając przy tym ramionami. Najwyraźniej nie był zadowolony z tego, że musiał tu dziś być. Pozostałe dzieci wykazywały większy entuzjazm.

161

– Pani jest ładna – zaczęła nieśmiało Julka, w uśmiechu pokazując swoje nieco szczerbate uzębienie. Kalina przypomniała sobie Blankę w jej wieku, też wyglądała tak zabawnie, gdy się uśmiechała.

– Dziękuję, ale na pewno nie jestem tak ładna, jak ty – przyznała, a na twarzy dziewczynki od razu pojawił się zachwyt.

– Pani Kalino – zwróciła się do niej Telimena. – Zaczyna pani codziennie jak dziś, od dziewiątej, tu jest szczegółowy plan zajęć, program nauczania otrzymała pani już wcześniej. Czy ma pani jeszcze jakieś pytania?

– Na razie nie. Dzieci, czy chcecie obejrzeć sobie szkołę? I wszystkie klasy?

– Tak, chcemy! – krzyknęły zgodnie, poza znudzonym małym Zygmuntem, który rozglądał się smętnie dookoła.

– W takim razie chodźmy – zawołała pełna entuzjazmu Kalina, chwytając małego Zygmunta za rękę. Chłopiec poddał się jej bez wahania, a Telimena już wiedziała, że trafnie dokonała swojego wyboru. W salach znajdowały się wielkie okna z ciemnymi zasłonami, a pośrodku stały wszelkiego rodzaju instrumenty. W jednym z pomieszczeń stał biały fortepian.

– Proszę pani… – zaczął nadąsany Zygmunt – ja wcale nie chcę grać na fortepianie.

– Nie? A dlaczego? – spytała zaskoczona. Pozostałe dzieci biegały po sali i z ciekawością rozglądały się dookoła, dotykając pozostałych instrumentów.

– Bo wolałem skrzypce, mój dziadek grał na skrzypcach, uwielbiałem, jak mi grał, fortepian zupełnie mnie nie interesuje.

– A mówiłeś o tym rodzicom?

– Tak, ale oni mnie nie słuchają, sami mnie tu zapisali. A ja nie chcę grać na tym głupim fortepianie – wyznał prawie ze łzami w oczach. Kalinie zrobiło się go żal.

– Posłuchaj, Zygmuncie. Zobaczymy, jak nam pójdzie od jutra, dobrze? A jeśli nadal nie będziesz chciał grać fortepianie, to porozmawiam z twoimi rodzicami i postaram się ich przekonać, dobrze?

– Naprawdę? Zrobi to pani?

– Tak.

Uśmiechnęła się, widząc jego roześmianą buzię na tle ciemnych, kręconych włosków.

– Ale oni nikogo nie słuchają – wtrącił po chwili smutno.

– Spróbujemy i zobaczymy, jak nam pójdzie, zgoda?

– Zgoda! – zawołał donośnie, aż pozostałe dzieci spojrzały w jego stronę. Po chwili w drzwiach sali pokazała się Telimena, wyglądała służbowo i dość posępnie, aż dziw brał, że uczniowie się jej nie bali.

– No, dzieci, na dziś wystarczy. Biegnijcie teraz do rodziców, czekają na was. Widzimy się jutro.

– Dobrze! – krzyknęły zgodnie i wyfrunęły z sali niczym polne motyle.

– Do widzenia, pani Kalino! – Julka pomachała rączką i po chwili zniknęła za drzwiami.

– Wspaniałe dzieciaki – westchnęła Kalina, a jej oczy błyszczały teraz jak dwie gwiazdy.

– Pani Kalino… – zaczęła służbowo Telimena. – Przypadkiem usłyszałam pani rozmowę z jednym z uczniów…

– Z Zygmuntem?

– Tak – chrząknęła głośno kobieta. – To niedopuszczalne, by wtrącała się pani w decyzje rodziców, sporo płacą za naukę w tej szkole i uprzedzam panią… proszę się nie wtrącać do takich spraw, jak wybór instrumentu.

– Przecież sama pani zaznaczyła już wcześniej, że jestem też odpowiedzialna za obserwowanie zdolności psychofizycznych uczniów.

– Tak, ale pani już obiecała temu chłopcu, że będzie grał na skrzypcach.

– Nie, powiedziałam tylko…

– Wiem, co pani powiedziała – przerwała jej stanowczo. – To moja szkoła i chcę, by stosowała się pani do moich reguł nauczania i najpierw, w razie wątpliwości, konsultowała to ze mną, rozumiemy się? – zabrzmiał jej nieprzyjemny i górnolotny ton. Kalina zrozumiała, że ta kobieta może skutecznie uprzykrzyć jej życie lub nawet pozbawić pracy. A tego nie chciała.

– Tak, rozumiem – odparła chłodnym tonem. – W razie wątpliwości przyjdę najpierw do pani, proszę jednak wziąć pod uwagę, że będę miała na celu dobro tych dzieci, które nie powinny być zmuszane do nauki tylko dlatego, że ich rodzice mają niespełnione ambicje.

– Mi również zależy na ich dobru. Mam nadzieję, że się dogadamy, pani Kalino – rzuciła pani dyrektor na odchodnym i po chwili opuściła pokój. Kalina została sama pośrodku wielkiej sali i z mieszanymi uczuciami zastanawiała się, jak długo tu popracuje.

– Widzę, że nie będzie łatwo… – wyszeptała, po czym ze smutkiem w oczach wyszła na hol główny. Nie miała tu z kim rozmawiać, nikogo jeszcze nie znała, z planem lekcyjnym w ręce powoli zaczęła schodzić schodami w dół, w kierunku głównego wyjścia.

– Kalina?! – usłyszała nagle za plecami. – To naprawdę ty? Szybko obróciła się i ujrzała kolegę ze spotkania klasowego.

– Kamil? Co ty tu...

– Robisz? Przecież mówiłem ci, że tu pracuję – rzucił wesoło, niemalże pochłaniając ją wzrokiem.

– A tak, faktycznie, no to będziemy się widywać.

– Cudownie cię znowu widzieć. A wiesz, że po ostatnim spotkaniu z tobą wiele przemyślałem i postanowiliśmy z żoną zaadoptować dziecko?

– Naprawdę? To wspaniale!

– To dzięki tobie, dałaś mi wtedy do myślenia.

– Nie przesadzaj – odparła nieco zakłopotana. – Ale cieszę się, że jesteś znowu szczęśliwy.

– Staram się, szkoda życia na żale i tkwienie w odmętach przeszłości.

– Racja, wiem coś o tym. – W jej zielonych oczach malowało się ledwo dostrzegalne zmęczenie.

– I jak pierwszy dzień? Telimena cię dobrze przyjęła?

– Tak, ale jest bardzo zasadnicza.

– Coś o tym wiem. Moja rada? Udawaj, że jej słuchasz, przytakuj, ona to lubi. A rób swoje, w końcu to ty będziesz tu uczyła i ty poznasz najlepiej te dzieciaki, nie ona.

– No wiem, ale już czuję problemy. Odniosłam wrażenie, że ona uwielbia wszystko kontrolować.

– Bo tak jest, potrafi wejść w środku lekcji i przysłuchiwać się zajęciom, czasem jest denerwująca, ale przyzwyczaisz się. – Spojrzał na nią promiennie. – Nie martw się, ona nie może wyczuć, że się jej boisz.

– Dzięki za radę.

– Nie ma sprawy. Będziemy się spotykać na przerwach, naprawdę się cieszę.

– Ja też. – Kalina zbliżyła się do niego i dotknęła jego ramienia.

– Jutro zapoznam cię ze wszystkimi albo zrobi to Telimena.

– Super, nikogo poza tobą tu nie znam.

– To dobre miejsce, więc nie martw się.

– To do jutra. Pójdę już.

– Do jutra.

Kamil przyglądał się, jak Kalina kroczy korytarzem, powabnie kręcąc biodrami. Było to tym bardziej urocze, iż ona sama nie była świadoma swego uroku.

– Wspaniała jak zawsze – wyszeptał i odwróciwszy się na pięcie, pognał do kolegi czekającego na niego na korytarzu.

Wieczorem Kalina stała przed szeroko otwartą szafą i zastanawiała się, w co ma się ubrać jutro. Szukała czegoś zwiewnego, lekkiego i jednocześnie eleganckiego. Nie chciała, by Telimena zarzuciła jej brak dobrego gustu i smaku. Wybór padł na białą, jedwabną bluzeczkę z krótkimi bufiastymi rękawami i zwiewną, granatową, plisowaną spódnicę nieco za kolana.

– Jeśli założę do tego szpilki i ten długi wisiorek w złotym kolorze, to nie będę wyglądała tak smętnie – podsumowała swój wybór i wyciągnęła z szafy żelazko. Uprasowane rzeczy wisiały zgrabnie na wieszaku i czekały na poranek, aż nadejdzie ich czas. Witold, o dziwo, zasnął w fotelu, a Kalina znowu wyczuła od niego piwo, jednak zamiast robić awanturę, nakryła go kocem. Sama poszła pod prysznic i po chwili leżała już w łóżku, w swojej jedwabnej, kremowej nocnej koszulce.

Ciekawe, czy jutro też spotkam Ratimira?, pomyślała i zgasiła lampkę stojącą na nocnym stoliku. Błogi sen nadszedł szybko.

Nazajutrz z podnieceniem nastolatki pobiegła na dworzec w nadziei na upragnione spotkanie. Spotkała

Ratimira ponownie, jego ciepły uśmiech wypełniał jej serce. Mężczyzna czekał na nią na peronie już od pół godziny. Pociągało ją w nim jego żywe zainteresowanie jej osobą, bliskość i niewymuszona szczerość, których tak bardzo potrzebowała.

Pociąg się spóźniał, a widok Kaliny wywołał natychmiastowy zachwyt na jego twarzy. Przez chwilę zawahała się, jednak zaraz potem podeszła do niego bliżej. Przyciągał ją do siebie pełnym ciepła i magii spojrzeniem. Podniecało ją to i przerażało jednocześnie. Nie chciała zrozumieć, co mówiły jego pełne zachwytu oczy, jednak ich siła obezwładniała ją.

– Witaj, Kalino. – Spojrzał na nią wesoło.

– Cześć. – Odwzajemniła jego spojrzenie.

– A więc znowu się widzimy.

– Tak… Już późno, gdzie nasz pociąg? – Spojrzała na wiszący nad nimi stary dworcowy zegar.

– Spóźnia się, ale przed chwilą zapowiadali, że będzie za pięć minut. Jak ci idzie w nowej pracy?

– Dobrze, ale dopiero dziś mam pierwsze zajęcia. Wszystko się dopiero okaże. O, jest pociąg! – zawołała, przerywając konwersację.

– Szkoda, znowu długo nie porozmawiamy, szczerze żałuję – wyznał, wpatrując się w nią serdecznie. – Pięknie wyglądasz – zauważył, lecz ona odwróciła się tak, by Ratimir nie dostrzegł wypisanych na jej twarzy emocji.

– Lepiej wsiadajmy, zanim odjedzie – rzuciła w jego stronę z uśmiechem.

– Racja.

Oboje wsiedli do tego samego przedziału co wczoraj.

– Pusty, jakby czekał na nas, nie uważasz? – spytał, delikatnie, niby przypadkiem, muskając rękaw jej jasnego żakietu

– Być może...

Przez chwilę panowała wymowna cisza, choć Kalina kątem oka obserwowała, co robi jej współpasażer.

– To gdzie właściwie teraz pracujesz? – zaczęła rozmowę, musiała przyznać sama przed sobą, że Ratimir należał do niesamowicie przystojnych mężczyzn.

– To skomplikowane... Kiedyś miałem swoją firmę, nieźle prosperującą, jednak nieoczekiwanie przyniosła straty, straciłem wszystko i teraz zaczynam od nowa.

– Przykro mi.

– Niepotrzebnie – uśmiechnął się łagodnie. – To moja wina, nie nadawałem się do tego.

– A więc zaczynasz od nowa?

– Tak. I jestem sam jak palec – westchnął.

– Dlaczego?

– Hmm... – zaśmiał się, kiwając głową – moja żona niespodziewanie zakochała się w pewnym Angliku. Wybrała lepsze życie, przyjemniejsze i zapewne ciekawsze, jak to sama określiła.

– Pewnie jest ci ciężko?

– Było, ale już się z tego otrząsnąłem. Teraz ważne jest to, że wreszcie zaczynam wszystko od nowa.

– Jesteś optymistą, to dobrze. Ja mam córkę, ma na imię Blanka i ona jest dla mnie najważniejsza.

– O, ładne imię.

– Mamy czasem problemy, ale staram się z nią dogadać, bardzo ją kocham.

– Nadal jesteś mężatką? – padło bezpośrednie pytanie, z nutą wyczuwalnej nadziei na „nie".

– Tak – westchnęła i szybko odwróciła twarz w stronę okna.

– Jasne, taka kobieta nigdy nie będzie sama.

– Taka, czyli jaka? – W jej zielonych oczach pojawiło się zdziwienie.

– Piękna, wyjątkowa i nieco tajemnicza. – Ratimir przybliżył się do niej, a Kalina czuła, jak miękną jej kolana. *Cholerka*, pomyślała. Zrobiło się jej ciepło i błogo, całą sobą pragnęła słuchać jego głosu i słów, które wypełniały ją teraz bez reszty.

Ratimir spoglądał na nią ciepło i serdecznie, a jej oczy wydawały mu się cudownie rozmarzone. Nagle do przedziału wszedł starszy mężczyzna i kobieta z dzieckiem.

– Wolne? – spytał siwy pan i przysiadł się do Kaliny. Ratimir westchnął. Oboje wymienili ukradkowe spojrzenia i uśmiechy.

– O której dziś kończysz pracę? – Patrzył na nią tak, jakby była całym jego światem.

– O szesnastej.

– Spotkamy się po pracy? – Mrugnął znacząco w jej stronę.

– Dziś?

– Tak.

– Nie wiem… Nie powinnam.

– Nie możesz tak po prostu odmówić, mamy zaległe spotkanie, zapomniałaś? – W jego ciemnych oczach tliła się nadzieja.

– Racja – odparła, myśląc o tym, że Witolda i tak nie zastanie w domu. – No dobrze, a gdzie się spotkamy?

– Tutaj, po szesnastej. Pójdziemy na spacer i na obiad do restauracji dworcowej, zgadzasz się?

– Tak – odparła bez wahania.

Pociąg powoli dojeżdżał na stację, Kalina sięgnęła po torebkę i wstała, szykując się do wyjścia.

– Będę czekał.

Kalina skinęła głową. Nagle poczuła wielką ochotę, by dotknąć jego dłoni, ramienia, poczuć jego bliskość, jednak odwróciła twarz i ruszyła w kierunku wyjścia. Czuła na sobie jego spojrzenie, które ją odprowadzało. Było to przemiłe doznanie, niemalże intymne. Podobnie jak wczoraj poszukała jego twarzy w wagonowym oknie i patrzyła, jak po chwili znika wraz ze stukotem pociągu. Nie do końca miała świadomość tego, co tak naprawdę się z nią dzieje, wiedziała tylko, że czuje się przy nim wspaniale i bardzo pragnie pójść z nim na spacer. Po chwili odwróciła się na pięcie i zniknęła wśród piętrzącego się ze wszech stron tłumu przechodniów.

Witold nerwowo stukał palcami o blat biurka. Wyglądał dziś diablo źle i nieciekawie. Podkrążone oczy, dwudniowy zarost i wymięta koszula potęgowały jeszcze wrażenie człowieka zmęczonego i pogrążonego w odmętach problemów.

– Źle się dziś czujesz? – zaczęła Tola, wymachując mu przed nosem wypasioną bransoletką, którą niedawno jej sprezentował.

– Nie. – Poluzował krawat. – Nie mam teraz czasu, daj mi spokój i przynieś kawę – rzucił ostro w jej stronę, unikając jej zdziwionego spojrzenia.

– Jak to? Co ty mówisz? Już ci się znudziłam? – Rudawe włosy poruszyły się niespokojnie wokół jej różanej, pełnej twarzy.

– Ależ skąd, po prostu nie mam dziś czasu.

– Inni rozpieszczają swoje kochanki, a ty? Oj, zaniedbujesz mnie ostatnio – odparła niezadowolonym głosem.

– Wybacz, nie jestem w nastroju.

– Jasne – skwitowała ostro. – Myślisz, że się mną zabawisz, a potem rzucisz? Niedoczekanie, lepiej módl się, bym nie spotkała twojej żonki.

– Daj jej spokój. – Spojrzał na nią złowrogo.

– Nie jestem głupia, znudziłam ci się, co? Wróciłeś do ślicznej żonki?

– Dość tego! – krzyknął rozgniewany. – Wyjdź albo cię wyprowadzę!

– Pożałujesz tego!

– Nie wiem, co w ciebie wstąpiło, Tola!

– Jesteś nudny, już mnie nigdzie nie zabierasz – niemalże szlochała. – Znajdę sobie innego, a ty lepiej się pilnuj, myślisz, że cię nie przejrzałam?

– Co masz na myśli?

– Wiem, że sobie tu popijasz. Mnie nie oszukasz perfumami.

– Zamknij się i wyjdź! I lepiej trzymaj buzię na kłódkę, dziś trudno znaleźć pracę.

– Grozisz mi?

– Nie, uspokajam – dodał i padł na fotel zmęczony kłótnią. W jednej chwili jego twarz zrobiła się kredowobiała. Tola zwątpiła, obserwując go przez chwilę.

– Nic ci nie jest, Witold? – spytała wystraszonym głosem.

Nie wiem... duszno mi...

– Jezu, bardzo ci duszno?

– Boli... w klatce... – wyszeptał nagle, zginając się w pół.

– Witek! Co z tobą?! – zawołała i z przerażeniem na twarzy wybiegła z gabinetu. Na korytarzu zapanował chaos. Ktoś z personelu natychmiast wezwał karetkę.

– Tak, mężczyzna po czterdziestce. Ma duszności, straszny ból w klatce piersiowej, błagam przyjedźcie! – któryś z pracowników nerwowo mamrotał do słuchawki. Witold upadł.

– Boli... jakby ktoś zduszał mi żebra w imadle... – mamrotał z trudem. – Niedobrze mi...

– Zaraz będzie pomoc. Już jadą, Witek. Mój Boże, misiu…
nie umieraj! – Tola biegała nad nim jak opętana, czuła się
winna tej sytuacji. – Przepraszam, że byłam taka okropna,
wiesz, że cię kocham. Chciałam tylko cię zezłościć…

Witold machnął ręką, nie mógł mówić, przeszywający
ból dławił go od środka.

– Proszę się uspokoić, Tola, otwórz okno! Ułóżmy go
wygodnie – jeden z pracowników podjął próbę pomocy.
Dziewczyna zerwała się na równe nogi i podbiegła do okna,
szamocząc się nerwowo z klamką. Po chwili powiew świe-
żego powietrza wypełnił wnętrze pokoju. Karetka dotarła
na miejsce, jej ostry sygnał ucichł równie szybko, jak się
pojawił. Po chwili Witold leżał nieruchomo na noszach.
Wnętrze karetki wydawało się niemalże sterylne.

– Bardzo pana boli? – spytała młoda lekarka.

Witold jęknął z bólu.

– Prawdopodobnie ma pan zawał, wieziemy pana do
szpitala. Spokojnie, wszystko będzie dobrze – uspokajała
go, gdy na sygnale mijali kolejne ulice. Witold czuł, jak
przenikliwy ból zawładnął jego ciałem, a on sam staje się
bezbronny i przerażony jak nigdy wcześniej.

Dzwonek zwiastował koniec kolejnej lekcji. Kalina zajrzała do grafiku, miała przed sobą ostatnie zajęcia z Julką, uroczą sześciolatką o ciągle uśmiechniętej buzi.

– Dzień dobry, pani Kalino – dziewczynka przywitała się już od progu. – Ładnie pani wygląda – wyseplenila.

Kalina nie potrafiła powstrzymać uśmiechu.

– Dzień dobry, ty wyglądasz ładniej, jesteś śliczna.

Julka z zadowoloną miną podeszła do fortepianu, usiadła wygodnie na krześle i wyjęła z torby swoje nuty.

– Co będziemy dziś grać? – Spojrzała na Kalinę wesołymi niebieskimi oczkami.

– A co byś chciała zagrać?

– Uwielbiam wszelkie gamy i etiudy.

– No to w takim razie poćwiczymy gamę z zeszytu ćwiczeń, otwórz na drugiej stronie. Najpierw ci ją zagram, posłuchaj, jak ona brzmi, potem wyjaśnię ci poszczególne elementy i spróbujesz sama, zgoda?

– Zgoda – odparła pełna entuzjazmu uczennica. Kalina miała odpowiednie podejście do dzieci i świetnie się z nimi dogadywała.

– Dobrze zagrałaś – pochwaliła po jakimś czasie – ale tutaj jest *forte*, postaraj się zagrać ten fragment nieco głośniej, dobrze?

Julka posłusznie kiwnęła głową. Miała wspaniałe wyczucie rytmu, grała płynnie i była bardzo pilną uczennicą.

– Musisz nabrać większej pewności siebie. Nie bój się grać odważniej, powinnaś polubić ten utwór, poznać, przemyśleć każdą nutkę, wtedy będziesz grała jeszcze lepiej, całą sobą. Rozumiesz, Julka?

– Mam się w niego wczuć? – Przejęty wzrok dziewczynki wpatrywał się w Kalinę.

– Tak, dokładnie. Myślę, że będziesz kiedyś wspaniałą pianistką, masz wyjątkową lekkość w palcach, świetnie utrzymujesz tempo, ale musimy jeszcze sporo popracować.

– To jak układanie powieści, prawda? Takiej z literek.

– Tak, masz rację, ładnie to ujęłaś. Widzisz, Julka, w życiu trzeba mieć odwagę i umiejętność, by stworzyć coś wyjątkowego.

– Lubię z panią grać.

– A ja z tobą, a teraz powoli kończymy, spotkamy się jutro.

Kalina uśmiechnęła się i spojrzała przed siebie, w ogromne okno. Pamiętała, jak ona sama uczyła się gry na pianinie, była wtedy w podobnym wieku co Julka. Przez chwilę zamyśliła się, oddając dawnym wspomnieniom. Jednak po chwili w torebce Kaliny nieoczekiwanie zabrzmiał telefon.

– Słucham?

– Pani Kalina Adamowicz?

– Tak, a kto mówi?

– Pielęgniarka ze szpitala okręgowego. Pani mąż, Witold, miał zawał, dzwonię do pani na jego prośbę.

– Zawał? Witold?! – Na jej twarzy pojawił się strach.

– Tak, muszę już kończyć – kobieta przerwała nerwowo, a Kalina poczuła, jak jej ciało, pełne strachu, zadrżało.

– Natychmiast muszę tam pojechać! – Spojrzała na zegarek; jeśli się pospieszy, to zdąży na następny pociąg. *Ratimir! Znowu się z nim nie spotkam*, pomyślała z żalem. Pospiesznie spakowała swoje rzeczy i wyszła na zewnątrz budynku. Podjechała najbliższą taksówką na dworzec, pociąg miał wkrótce nadjechać. Poczuła, jak niepokój wypełnia jej wnętrze. *Zawał?* Nagle poczuła się winna, że niczego nie zauważyła. Musiał się przecież gorzej czuć, jednak ona tylko dostrzegała, że Witold czasem popija. Jaką była żoną? Miała poczucie, że go zawiodła, jednak równocześnie nic nie mogła poradzić na to, że jej miłość do niego powoli umierała.

W szpitalu panował zgiełk, Kalina od razu skierowała się na kardiologię. Jednak nie było tu żadnego lekarza, który mógłby udzielić jej informacji o stanie męża.

– Kogoś pani szuka? – Młoda pielęgniarka przechodząca obok niej spojrzała na nią wymownie.

– Tak, mojego męża. Nazywa się Witold Adamowicz, miał zawał. Chciałabym dowiedzieć się, jak on się czuje.

– Proszę chwilę zaczekać, sprawdzę, czy mamy takiego pacjenta.

– Dziękuję – odparła z ulgą, gdy niespodziewanie po drugiej stronie korytarza zauważyła dziwnie znajomą, młodą kobietę. Po chwili skojarzyła… To była Tola, ta, która tak mrugała do Witolda podczas proszonej kolacji u nich w domu. *Co ona tu, u licha, robi?*, pomyślała, marszcząc czoło. Kobieta krążyła nerwowo po korytarzu, ocierając chusteczką czoło. Po chwili wróciła pielęgniarka.

– Pani mąż leży w sali czterysta pięć, tam, gdzie stoi tamta kobieta. – Pielęgniarka wskazała ręką w kierunku rudej Toli i zniknęła w drzwiach gabinetu. Kalina ze ściśniętym żołądkiem głośno przełknęła ślinę. Zawahała się, zupełnie nie wiedząc, co ma teraz zrobić. Na widok tamtej kobiety jej pewność siebie ulotniła się nagle jak poranna mgła. Niepewnym krokiem zbliżyła się do wskazanego przez pielęgniarkę pokoju. Tola kręciła się niespokojnie, po chwili nieoczekiwanie odwróciła się, jakby instynktownie wyczuwając intensywne spojrzenie Kaliny.

– Dzień dobry – zaczęła Kalina, zachowując pozorny spokój i klasę.

– Dzień dobry. – Zaskoczone spojrzenie kobiety obiegło jej twarz, a potem resztę sylwetki.

– Widzę, że pani również przyszła do mojego męża. Pozwoli pani, że do niego zajrzę? – Zielone oczy Kaliny wydawały się teraz jeszcze bardziej intensywne.

– Nie wolno, właśnie badają go lekarze, nie można teraz przeszkadzać. – Tola wyglądała na szczerze przejętą.

– Rozumiem… A mogę spytać, co pani tu robi?

– Jak to co? Przecież to się stało w pracy, my z Witoldem… pracujemy razem – poinformowała oburzonym tonem, wzruszając ramionami. Kąciki ust Kaliny lekko się uniosły.

– Chyba blisko pracujecie, skoro przyjechała pani aż tutaj – stwierdziła, obdarzając ją uważnym spojrzeniem.

– Oczywiście, że tak. W końcu to mój szef, nie mogłam go zostawić bez pomocy.

– No jasne, oczywiście. Myślę, że może pani już pójść do domu, zajmę się nim sama.

– Lepiej poczekam. Chcę wiedzieć, jak się czuje.

Kalina przeszyła ją ostrym spojrzeniem, gdy po chwili z pokoju Witolda wyszli lekarze.

– I jak on się czuje? – Tola bez uprzedzenia podbiegła do jednego z lekarzy, niemalże popychając stojącą obok niej Kalinę. Młody, przystojny lekarz i drugi, łysawy i nieco starszy od niego, wymienili się dokumentacją, po czym ten drugi bez słowa wyjaśnienia ruszył w stronę swojego gabinetu.

– Pani mąż miał zawał, ale wyjdzie z tego – zaczął ten młodszy.

– To ja jestem żoną – sprostowała Kalina, ponieważ Tola najwyraźniej nie miała zamiaru wyprowadzić lekarza z błędu.

– A, przepraszam – odrzekł trochę zmieszany, ze zdziwieniem spoglądając na niecierpliwą Tolę. Kalina podeszła bliżej.

– Cieszę się, że to niegroźne – zaczęła, ignorując obecność kobiety.

– Wie pani, zawał jest zawsze poważną sprawą, jednak na szczęście ten był lekki, ostrzegawczy. Mąż nie powinien się denerwować, najlepiej gdyby mógł się odstresować.

– Czy długo będzie w szpitalu? – dopytywała napastliwie Tola.

– Pacjent dostał aspirynę, klopidogler, a przede wszystkim dożylnie leki przeciwbólowe. Będziemy go obserwować, dostanie leki przeciwzakrzepowe, operację na razie wykluczamy. Myślę, że zostanie u nas około tygodnia, potem, jeśli wszystko będzie dobrze, wypiszemy go do domu.

– Dziękuję, doktorze. – Kalina poczuła ulgę.

– Mąż będzie powoli wracał do sił, ale musi zmienić tryb życia, inaczej wróci do nas szybko i to w znacznie gorszym stanie.

– Rozumiem, porozmawiam z nim, wytłumaczę… – Kalina poczuła nagły niepokój, dodatkowo denerwowała ją natrętna obecność Toli, która bez skrupułów przysłuchiwała się wywodom lekarza.

– Proszę to zrobić, a teraz panie wybaczą, mam innych pacjentów.

– Oczywiście – rzuciła Tola i bez pardonu wtargnęła do pokoju Witolda. Kalinę zamurowało, poczuła się totalnie obezwładniona bezczelnością tej młodej kobiety. Zdenerwowana, z głośno bijącym sercem wkroczyła zaraz za nią do pokoju męża. Widok, który ukazał się jej oczom, przeszedł jej najśmielsze przypuszczenia. Tola pochylała się nad łóżkiem Witolda i jak gdyby nigdy nic całowała go w usta. Zszokowana Kalina spojrzała na Witolda, na jej twarzy malowało się tylko jedno pytanie: dlaczego? Witold nagle syknął z bólu i chwycił się za serce. Rozgniewana Kalina próbowała zachować spokój. Ponownie zmierzyła męża surowym spojrzeniem. W jego oczach pojawił się ślad niepokoju i utrapienia. Jej złowieszcze, zielone oczy przeszywały go teraz na wskroś jak ostre szpady, a jej zabójcze spojrzenie wyrażało wszystko, co Witold chciał wiedzieć. Reszty dopełniła srebrna bransoletka manifestacyjnie zawieszona na pulchnej dłoni Toli, ta sama, którą Witold chciał podarować kiedyś jej. Pewna siebie Tola spojrzała na nią ironicznie, jakby chciała spytać: Co ty tu jeszcze robisz? *Co za upokorzenie*, pomyślała Kalina. Rzuciła kochankom ostatnie gniewne spojrzenie, odwróciła się szybko, chwyciła klamkę i otworzyła szeroko drzwi. Jej piękne oczy lśniły teraz niewysłowionym gniewem. Kalina przez chwilę była gotowa cofnąć się i wyrzucić kobietę za drzwi, jednak nie zrobiła tego. Biła się z własnymi myślami, nie wiedząc, jak ma postąpić. Jej urażona duma podpowiadała jej, by wyjść w milczeniu. I tak też zrobiła. Nic nie powiedziała, bo co można było tu rzec? Tola chciała wybiec za nią, jednak Witold powstrzymał ją groźnym spojrzeniem.

Zamyślona i nieszczęśliwa Kalina szła przed siebie bez celu. Przed chwilą biegła tu z duszą na ramieniu, jednak okazało się, że niepotrzebnie. Nagle oprzytomniała, uświadamiając sobie, że traci tu tylko czas. Przypomniała sobie, że umówiła się dziś na spacer z Radimirem. Mimo zewnętrznego opanowania, jej dusza wciąż szalała. Nogi same zaprowadziły ją z powrotem na dworzec. Miała zamiar wrócić do domu najbliższym pociągiem, ale czy to nadal był jej dom? *Gdyby nie Blanka, pojechałabym daleko stąd i już nigdy bym nie wróciła.*

Pociąg mozolnie podjeżdżał na peron. Kalina wsiadła do środka, poruszając się automatycznie jak bezwolna lalka. Nagle pojawił się on, Ratimir. Podszedł do niej natychmiast, posyłając wesołe spojrzenie. Przyglądał się jej zafascynowany czymś niezwykłym w jej oczach, twarzy i sylwetce. Kalina spojrzała na niego wzrokiem wyrażającym dopiero co doznaną urazę. Nieudolnie próbował wyczytać prawdę z jej smutnych oczu, jednak ona spuściła wzrok i wpatrywała się w podłogę.

– Witaj znowu, piękna, co się stało? – zaczął badawczo, patrząc w jej bladą twarz.

– Nic, jestem tylko zmęczona.

– Ciężki dzień w pracy?

– Nie, w pracy wszystko dobrze, tylko – urwała nagle, powstrzymując napływające do oczu łzy.

– Tylko?

– Właśnie odkryłam, że mój mąż ma kogoś... Drań... – wyszlochała. Nie miała zamiaru płakać, była twarda, jednak nie wiadomo skąd łzy same pociekły jej po twarzy, wzbudzając nagły zamęt i popłoch u Ratimira.

– Co za palant! Ja bym cię nosił na rękach, gdybyś była moja… – wyznał, gładząc jej jasną głowę.

– To miłe, ale nie jestem twoja i mam dość wszystkich mężczyzn. Ale byłam głupia, przecież przez cały czas coś podejrzewałam.

– Chciałbym, żebyś kiedyś była moja i już nigdy nie cierpiała – wyznał czule. Miał ochotę przytulić ją do siebie z całych sił. Kalina spojrzała na niego błyszczącymi od łez oczami. Ich zielona barwa wydawała się teraz jeszcze głębsza i ciemniejsza. Zapłakana, wpatrywała się w niego tak bezmyślnie, jakby nie rozumiała, co do niej mówi. On uśmiechał się do niej tkliwie. Kalina wyglądała teraz jak mała, bezbronna, zagubiona dziewczynka. Stojąc tak przy nim, czuła przyjemne ciepło rozchodzące się po jej ciele i nagle cały żal zaczął ustępować, a ona sama miała wielką ochotę dotknąć go i pocałować. *To nie byłoby rozważne*, zganiła się w myślach i odwróciła wzrok. Ratimir nie spuszczał z niej oczu.

– Czy propozycja spaceru jest nadal aktualna? – wyszeptała po cichu, podnosząc na niego zmęczony wzrok. Szybko odszukała jego spojrzenie, pełne zachwytu i czułości. To dziwne, jak obcy mężczyzna może nieoczekiwanie sprawić, że czujesz się piękna i wyjątkowa. Nie wiedziała, czy może pozwolić sobie na takie odczucia, jednak nie czuła się już mężatką, a jej małżeństwo powoli stawało się melodią przeszłości. Na dźwięk jej głosu Ratimir rozjaśnił się.

– Oczywiście, ale pod warunkiem, że kiedyś wyjdziesz za mnie – zastrzegł, a Kalina parsknęła śmiechem. Po chwili spojrzała na niego ponownie, jednak nie dostrzegła w jego oczach żartu. Jego spojrzenie było poważne i wyczekujące.

Kalina spoważniała, przełknęła ślinę i westchnęła. Nagle poczuła nieprzepartą chęć przebywania z nim, opowiedzenia mu o wszystkim, całym swoim życiu, samotności. Ratimir wyglądał na przejętego, jednak Kalina nie udzieliła mu odpowiedzi.

– Zawsze jesteś taki bezpośredni?

– Zawsze, gdy czegoś bardzo pragnę. – Jego ciemne spojrzenie przenikało zieleń jej oczu.

– Dziś pragnę tylko pójść na spacer.

– Zgoda, ale wrócę jeszcze kiedyś do mojego pytania.

Kalina niepewnie spuściła głowę i po chwili spojrzała na niego ponownie.

– Jesteś wyjątkowym mężczyzną, ale ja już nie chcę być niczyją żoną. Nie nadaję się do tego, to nie dla mnie.

– Mówisz tak, bo jesteś rozgoryczona, małżeństwo nie dało ci szczęścia. Gwarantuję ci, że ze mną będzie inaczej – uśmiechnął się szeroko, próbując ją przytulić. Kalina niespodziewanie odsunęła się.

– Nie znasz mnie, skąd to szybkie tempo?

– Taki już jestem…

– Czyli nie jestem pierwszą, którą tak podrywasz?

– Co? Nie, źle mnie zrozumiałaś! – Zmarszczył nagle brwi. – Nie jestem jakimś podrywaczem.

– Nie? A skąd mam to wiedzieć, skoro nawet mnie nie znasz, a już mówisz o małżeństwie?

– Podobasz mi się, czy to grzech? – Ratimir wpatrywał się w nią niepewnie, wstrzymując przez chwilę oddech.

– Pewnie nie, ale ja cię w ogóle nie znam. To bez sensu, przepraszam, ale chyba jednak wolę dziś pobyć sama. To zbyt wiele dla mnie jak na jeden dzień.

Nagle w jej sercu pojawiły się wątpliwości. *Co ja robię?*

– Mogę cię chociaż odwieźć do domu?

– Nie.

– Dlaczego?

– Chcę być sama.

– Nie ufasz mi, rozumiem.

– Nie znam cię, dlatego nie wiem, czy mogę ci ufać.

– A zatem musisz mnie lepiej poznać – uśmiechnął się do niej serdecznie. Pociąg zwalniał.

– To już moja stacja – odparła cicho.

– Czy spotkamy się jutro? – W jego oczach pojawiła się nadzieja.

– Pewnie tak, jutro, jak co dzień, pojadę do pracy.

Ratımır pochylił się nad nią i delikatnie pocałował w policzek. Kalina rzuciła mu zaskoczone spojrzenie.

– Nie musisz się mnie bać – wyznał, spoglądając jej głęboko w oczy, a ona z całych sił pragnęła w to wierzyć i po chwili zdobyła się na uśmiech. Wyglądała znacznie lepiej, gdy tylko smutek zniknął z jej oczu. Ratimir spoglądał na nią z oddaniem i ciekawością. Kalina musnęła dłonią jego śniady policzek i powoli ruszyła w stronę wyjścia. Tłum podróżnych bezlitośnie pchał ją przed siebie. Szamotały nią wewnętrzne sprzeczności, miała ochotę cofnąć się i wrócić do niego, jednak dobrze wiedziała, że byłoby to przedwczesne i nierozsądne. Musiała teraz przemyśleć ostatnie wydarzenia, ułożyć się sama ze sobą. Nadszedł dla niej czas podsumowania dotychczasowego życia i podjęcia ważnych decyzji.

Powietrze na zewnątrz wciąż męczyło swym ciepłem. Kalina wysiadła z pociągu i powoli spojrzała w znajome, zabrudzone okno wagonu, szukając w tłumie jego twarzy. Ich spojrzenia na chwilę się odnalazły. Ten tajemniczy i ujmujący mężczyzna był dla niej całkowitą zagadką i jednocześnie pocieszycielem, aniołem stróżem zesłanym przez los. Zrozumiała, że bardzo go potrzebuje, ponieważ jak nikt inny potrafił wymazać z jej życia samotność i smutek.

Zieleń błyszczącej w słońcu tafli jeziora od rana zachwycała swym urokiem. Blanka leżała jeszcze w łóżku bez najmniejszych chęci do wstawania.

– Pobudka! – Do pokoju wkroczyła Kalina, energicznie odsłaniając okno. – Wstawaj, spóźnisz się do szkoły.

Z łóżka wydobyło się głośne mruczenie:

– Nigdzie nie idę, nienawidzę tej szkoły.

– Jak to? Musisz się uczyć, dlaczego tak mówisz? – Kalina spojrzała na córkę. Jej zapłakane oczy mówiły same za siebie.

– Daj mi spokój – rzuciła ostro Blanka, nakrywając głowę poduszką, po czym zaczęła głośno chlipać.

– Coś z Alkiem?

– Powiedział, że teraz ma inną dziewczynę, znudziłam mu się! – Łzy spływały po jej twarzy strumieniami. Kalina westchnęła cicho i usiadła na krawędzi łóżka.

– Córeczko, zapomnisz o nim, niech sobie idzie do innej. Skoro nie dostrzega, jak jesteś wspaniała i wyjątkowa, to nie jest ciebie wart.

– Łatwo ci mówić – szlochała dalej Blanka. – Ja go kocham…

– Zakochasz się jeszcze wiele razy, zanim poznasz tego właściwego chłopaka, a nawet wtedy życie może przynieść

187

ci różne niespodzianki. W życiu rzadko jest nam dane coś na zawsze.

– Jak ty i tata? – Zielone oczy Blanki wpatrywały się w nią z przejęciem.

– Tak, ludzie czasem, mimo że kiedyś się kochali, nie potrafią być dalej razem.

– Dlaczego?

– Bo czasem miłość po prostu się kończy, trudno mi odpowiedzieć jednoznacznie, dlaczego… Niekiedy ludzie stają się sobie obcy, nie potrafią się porozumieć, nie słuchają siebie nawzajem. A bycie razem to trudna sztuka, wymagająca wielu kompromisów, trudnych dialogów, dostrzegania potrzeb drugiej osoby, a nie każdy to umie.

– Tata tego nie umie?

– Myślę, że oboje gdzieś się w tym zatraciliśmy.

– To przez śmierć Kory?

– Nie, dziecko, przecież później urodziłaś się ty. Po prostu przestaliśmy rozmawiać, nie mieliśmy dla siebie czasu.

– Tata ma kogoś, prawda? – westchnęła Blanka. – Dlaczego dostał ten zawał? Nic nie rozumiem, przecież dobrze się czuł…

To nagłe pytanie poraziło Kalinę jak grom z jasnego nieba.

– Nie jestem już małą dziewczynką, nie musisz mnie chronić.

Kalina zawahała się, jednak dłuższe ukrywanie prawdy faktycznie niczego by tu nie zmieniło. Nagle dotarło do niej, że Blanka widzi i rozumie więcej, niż ona sama mogła przypuszczać. Jej córka stała się nagle dorosła i zaczynała widzieć świat oczami kobiety.

– Tata ostatnio miał gorsze dni, wiesz, jaki jest skryty, nie zauważyłam, że coś jest nie tak z jego zdrowiem

– odparła cicho po chwili wahania. – O reszcie porozmawiamy innym razem, a teraz szykuj się do szkoły.

– Nie pójdę, daj mi na dziś zwolnienie, mamo, proszę. – Błagalny wzrok córki zmiękczył matczyne serce.

– Zgoda, ale wyjątkowo ze względu na twój dzisiejszy stan. Nie chcę, żebyś płakała przez jakiegoś bufona, poznasz jeszcze wielu chłopców, sto razy lepszych od niego.

– Tak myślisz?

– Ja to wiem! – Kalina uśmiechnęła się do niej wesoło.

– Poleż sobie jeszcze, a potem idź na spacer. To zawsze pomaga, gdy jest źle – przyznała, głaszcząc córkę po włosach.

– Dobrze, może skoczę do stadniny.

– Jeśli to ci pomoże, to zgoda. Tylko uważaj na siebie. A jutro do szkoły, czy to jasne, moja panno? – Pogroziła jej palcem, a kąciki jej ust wesoło unosiły się ku górze.

– No, już dobrze – odparła Blanka, nie kryjąc swojego niezadowolenia.

– O kurczę! – Kalina spojrzała na zegarek. – Muszę pędzić, inaczej spóźnię się do pracy. Zjedz śniadanie.

– Wiem, wiem... Idź już, mamo, bo cię wyleją. – Blanka machnęła ręką i odwróciła się na drugi bok.

Kalina zbiegła schodami w dół, chwyciła klucze od domu i torebkę. Zarzuciła na siebie szary żakiet i chustę, którą pospiesznie przewiązała na szyi. Praca sprawiała jej wiele radości i nie chciała jej stracić w tak głupi sposób jak przez spóźnienie, dobrze wiedziała, jak zasadnicza w tych sprawach jest Telimena. Na szczęście zdążyła na czas i pociąg odjechał razem z nią. Szukając wolnego miejsca w przedziale, rozglądała się dokoła za Ratimirem. Jednak dziś go nie dostrzegła i nagłe zwątpienie ogarnęło jej duszę.

Pustka, jaką poczuła, uświadomiła jej nagle, jak bardzo go lubi. Nie była do końca pewna, czy jego słowa były coś warte, jednak po cichu modliła się, by tak było i by mogła jeszcze go ujrzeć. Nie poszła więcej do szpitala, nie potrafiła, nie chciała. Dowiedziała się tylko, że Witold wraca za tydzień do domu, i to piętrzyło w niej pokłady wątpliwości. Co zrobić? Prawnie to był jego dom i nie mogła pozmieniać w nim zamków. Nie miała też dokąd się wyprowadzić. Postanowiła, że zachowa spokój i zaczeka do jego powrotu.

Ranczo roztaczało swój urok pośród wielkich łąk i pastwisk. Blanka nie chciała dłużej snuć się po domu jak smutny cień. Wskoczyła na rower i pognała co sił, by spędzić ten wolny dzień, jeżdżąc konno. Wysokie, dostojne topole porastały szeroką polną drogę. Serce nastolatki mocno cierpiało, jednak Blanka czuła, że to kiedyś minie, i pragnęła, by stało się to jak najszybciej. Jednocześnie złożyła sobie przysięgę, że już się nie zakocha i zacznie nienawidzić cały męski ród. Z tym postanowieniem jechała daleko przed siebie, a jej ciemne, długie włosy powiewały teraz na wietrze, pięknie mieniąc się w słońcu. Z daleka dostrzec można było dwie stojące blisko siebie stajnie. Z każdą chwilą budynki przybliżały się i stawały coraz większe, aż w końcu dojechała na miejsce. Oparła swój rower – starą damkę po mamie – o pobliskie drzewo. Tutaj nic nigdy nie ginęło i wszystko miało swoje miejsce i czas.

– Zapomniałam już, jak tu pięknie – wyszeptała po chwili, rozglądając się dokoła. Ogromne bocianie gniazdo na pobliskim drzewie zamieszkane zostało przez ptasich lokatorów. Wokół panowała cudowna cisza. Dochodziło południe. Blanka podejrzewała, że spóźniła się na jazdę, choć w sumie nie była umówiona. W związku z tym postanowiła zajrzeć do stajni. Jej ukochanego konia nie było w boksie, najwyraźniej ktoś go wcześniej dosiadł. Nagle niespodziewanie usłyszała za sobą czyjeś kroki i głośne rżenie konia.

– Kogo ja widzę… Już myślałem, że zapomniałaś o nas. – Młody chłopak uśmiechał się do niej łagodnie, spoglądając na jej zarumienioną od słońca twarz.

– Toni? Nie, nie zapomniałam o was, jakoś czasu ostatnio nie miałam – wyznała smutno.

– Chłopak? Słyszałem, że masz kogoś. Szczęśliwiec… – westchnął cicho, drapiąc się po głowie.

– Daj spokój, było, minęło, nikogo nie mam i nie mam zamiaru mieć. Szukam mojego ukochanego konia.

– Księżniczki?

– Tak, wiesz, gdzie ona może być?

– Jasne, sam ją niedawno zaprowadziłem na pastwisko, a co? Chcesz trochę na niej pojeździć? – Spojrzał na Blankę swoimi niebieskimi jak polne chabry oczami.

– Pytanie… No pewnie, że tak. Myślisz, że ona mnie jeszcze pamięta?

Blanka miała podkrążone oczy, jednak tliła się w nich teraz tęsknota za beztroskimi latami dziecięcymi.

– Na pewno, chyba tęskniła za tobą, przez jakiś czas nawet nie chciała jeść.

– Co ty mówisz? Ale za mnie idiotka, jak mogłam tak ją zostawić.

– Miałaś ważniejsze sprawy.

– Głupia byłam i tyle. Zaprowadzisz mnie teraz do niej?

Ubrana w czarne bryczesy, Blanka sięgnęła do plecaka, w którym miała wysokie buty do jazdy i specjalny toczek.

Szybko zmieniła obuwie i gotowa ruszyła za Tonim, który niósł siodło.

– Jeśli chcesz pojeździć, to musimy ją najpierw osiodłać.

– Mogłam zabrać czaprak, nie lepiej było zabrać ją do stajni? Musisz teraz to dźwigać.

– Nie szkodzi, dla ciebie to robię, to żaden problem – wyznał, po czym odwrócił głowę i szedł prosto przed siebie. Blanka zamilkła, zastanawiając się, co mógł mieć na myśli. Czyżby ją lubił?

Polanka rozpościerała się szeroko, tworząc przepiękny, malowniczy obraz. Wszelakie barwy polnych kwiatów zdobiły wysokie, zielone trawy bujnie porastające łąki. Świat posiadał tu klimat zaiste bajkowy, a Blanka zastanawiała się, jak to możliwe, że mogła o nim zapomnieć. Białe umaszczenie Księżniczki sprawiało, że można było ją dostrzec nawet z daleka. Siwa maść nadawała klaczy dostojności i niesamowitego uroku. Blanka zatrzymała się na chwilę, by podziwiać jej piękno. Następnie ruszyła za Tonim, który hardo maszerował tuż przed nią. W końcu łagodnie zbliżył się do Księżniczki, pozostawiając Blankę w tyle.

– Spójrz, kto do nas zawitał – zaczął przemawiać do klaczy miłym głosem, głaszcząc ją czule po szyi. Toni wychował się w tym miejscu, jego ojciec był współwłaścicielem tej stadniny, matka chłopca zmarła dawno temu.

– Jaka ona piękna – przyznała, zbliżając się do niej powoli. – Mam coś dla ciebie – szeptała, głaszcząc Księżniczkę po głowie. – Marchewka i jabłko.

Klacz natychmiast wyciągnęła do niej swą długą szyję i łapczywie otworzyła pysk. Odgłos końskiego chrupania sprawił Blance wiele radości.

– Bałaś się, że cię zapomniała, ale konie rzadko zapominają, zwłaszcza dobry ludzi. – Toni przyglądał się dziewczynie, podziwiając jej piękne włosy, błyszczące teraz w słońcu. – Osiodłam ci ją.

– Dziękuję, jesteś taki uczynny, to miłe.

– Nie myśl, że będę stale cię wyręczał, następnym razem sama to zrobisz. Chyba jeszcze potrafisz?

– Też coś... – obruszyła się, wzruszając ramionami. Jej reakcja wywołała uśmiech na twarzy chłopaka. – Tego się przecież nie zapomina.

– Skoro tak mówisz... – żartował dalej, spoglądając na nią ukradkiem. – Gotowe. To wskakuj!

Blanka łagodnie zbliżyła się do Księżniczki i ostrożnie włożyła nogę w strzemię. Chwyciła za wodze i przytrzymała przedni łęg siodła. Energiczne odbicie drugą nogą sprawiło, że natychmiast znalazła się w siodle.

– Nieźle – podziwiał Toni. – Poradzisz sobie?

– Tak, Księżniczka zawsze była łagodna.

– Okej, ale uważaj na siebie. Zaczekam tutaj. Pogalopuj do świerkowego lasu i wracaj, potem pojedziemy razem, jeśli zechcesz.

– Dobrze! – odkrzyknęła, nie mogąc powstrzymać swojego entuzjazmu, i od razu ruszyła kłusem.

– Współpracuj z nią i nie szalej jak kiedyś! – krzyknął Toni, jednak Blanka znacznie się już oddaliła i nie słyszała jego wołania. Poddała się chwili, niesiona hen daleko z wiatrem, słyszała tylko ciężki oddech konia i czuła jego niewyobrażalną siłę, która niosła ją daleko w nieznane. Siwa, piękna klacz mknęła przez ogromne połacie lasu i rozległe łąki. Toni już dawno stracił Blankę z pola widzenia. Miał nadzieję, że poradzi sobie sama.

Po godzinie zza lasu wyłonił się biały łeb i piękna grzywa. Blanka wciąż dosiadała Księżniczki, a na jej zarumienionej twarzy wypisane było niewysłowione szczęście. Po chwili klacz zwolniła i kłusem zbliżyła się do Toniego.

– Już się o ciebie bałem – zaczął, spoglądając znacząco na zegarek.

– A to dlaczego?

– No... w końcu dawno na niej nie jeździłaś.

– Pogadałyśmy sobie troszkę, to niesamowite uczucie, wspaniałe... Czuję się tak lekko.

– Cieszę się, naprawdę – Toni podszedł i pomógł jej zejść z konia. Blanka podparła się o jego ramię i nagle pojęła, że nigdy wcześniej nie zwróciła uwagi na to, że Toni jest całkiem fajnym i przystojnym chłopakiem. Jego niebieskie oczy śmiały się teraz do niej zaczepnie.

– Wyładniałaś – rzucił nagle, spoglądając jej prosto w oczy.

– Tak? Tak myślisz? Ty też nieźle wyglądasz.

– Dzięki – zaśmiał się, pokazując swoje ładne, białe zęby. Nagle z oddali dało się słyszeć kobiece wołanie.

– Toni! Toni! Gdzie jesteś? – Młody, dziewczęcy głos brzmiał świeżo i melodyjnie. Blanka zauważyła, że na karym koniu siedzi ładna, ciemnooka blondynka. W tej samej chwili chłopak zmieszał się lekko i spuścił wzrok.

– A! Jesteś tu. Czemu się nie odzywałeś?

– Byłem na łąkach, nie słyszałem cię.

– Widzę, że byłeś zajęty – kontynuowała. – Nie przedstawisz nas sobie? – spytała, zerkając szybko w stronę zaskoczonej Blanki. Toni głośno chrząknął.

– A, tak. To Blanka, a to Kaśka – wydukał bez entuzjazmu.

– Jego dziewczyna – wtrąciła szybko.

Toni uśmiechnął się lekko i po chwili zwiesił wzrok.

– Ach tak… – Blanka była zaskoczona faktem, że Toni ma kogoś. Zawsze należał do samotników, a tu nagle dziewczyna. Kiedy to się stało? Czy naprawdę aż tak wiele ją ominęło? Ukradkiem spojrzała na jego twarz, lecz Toni posmutniał i najwyraźniej nie potrafił się odpowiednio zachować.

– Super się jeździło – zaczęła, przerywając krępującą ciszę. – Dzięki za Księżniczkę i za to, że mi pomogłeś. To ja już pójdę – wydukała i podała mu wodze. Koń zacharczał.

– Pa, kochana, cudownie było cię znowu dosiąść, może jeszcze kiedyś tu zajrzę. – Blanka pogładziła na pożegnanie jej pysk.

– Odprowadzę cię – zaproponował Toni. – I tak muszę zaprowadzić konie do stajni.

– Myślisz, że Blanka sama sobie nie poradzi? – Wzrok Kaśki przeszywał teraz Blankę na wskroś. Ta jednak wytrzymała ostre spojrzenie dziewczyny.

– Powiedziałem, że ją odprowadzę. – Głos Toniego brzmiał spokojnie i stanowczo, przez co Kaśka ustąpiła.

– Skoro musisz… Zaczekam na ciebie w naszej karczmie.

– Dobrze.

Blanka, ku swojemu zaskoczeniu, nie zauważyła zażyłych relacji między nimi, jak na chłopaka i dziewczynę przystało, jednak nie analizowała tego głębiej. Poczuła jedynie smutek i lekkie ukłucie w sercu. Właśnie teraz, gdy dostrzegła, jak miły jest Toni, okazało się, że on kogoś ma. *Jakie to niesprawiedliwe*, pomyślała, obserwując go kątem oka.

– Dziękuję, że mi pomagasz – zaczęła cichym głosem.

– Nie ma sprawy. Widzisz, Kaśka... Znamy się od dziecka, naszych ojców łączą te same interesy, to znaczy konie. Marzą o takim mariażu, by połączyć ogromne rancza i stajnie. Ja... – urwał nagle.

– Daj spokój, Toni, nie musisz mi się tłumaczyć. Rozumiem to.

– Nie rozumiesz. Mój ojciec pokłada we mnie wielkie nadzieje, nie znam innego życia, tu się urodziłem i tu pewnie umrę.

– Ważne, że jesteś szczęśliwy. – Zielone oczy Blanki wpatrywały się w niego z rozrzewnieniem.

– Tylko gdy widzę ciebie, Blanka...

Dziewczyna zamilkła.

– To naprawdę miłe, ale ty masz kogoś. Lepiej sam odprowadź Księżniczkę do boksu, pojadę już.

– Blanka, czy mogę cię kiedyś odwiedzić?

– Odwiedzić? – spytała zaskoczona, nic nie rozumiejąc.

– Jasne, nie wiem tylko, co na to twoja dziewczyna?

– Ja jej nie kocham.

Współczuję ci, ale nie rozumiem, po co w takim razie z nią jesteś? By uszczęśliwić ojca?

Toni pokiwał głową.

– On nie lubi sprzeciwu. Jest twardy, ja taki nie jestem.

– I całe szczęście – zaśmiała się głośno. – Właśnie za to cię lubię: że jesteś sobą.

– Naprawdę?

– Naprawdę. I dziękuję za ten cudowny dzień, dzięki tobie zapomniałam o moich smutkach i niepowodzeniach.

– Jesteś wyjątkową dziewczyną, Blanka.

– Naprawdę muszę już uciekać – odparła zmieszana jego niespodziewanym wyznaniem. – Robi się późno.

– Przyjedziesz jeszcze?

– Nie wiem. Twoja dziewczyna chyba za mną nie przepada.

– Mniejsza o nią, zapraszam cię na zawody jeździeckie, będę w nich startował.

– Kiedy?

– W następną sobotę. Będziesz?

– Skoro tak, to przyjadę.

– Wspaniale, będę skakał tylko dla ciebie.

– Toni, daj spokój. Nie jesteśmy parą.

– Ale ja bym chciał, żebyś to ty była moją dziewczyną.

– To propozycja?

– Tak.

– Chcesz mieć dwie dziewczyny? – Zielony oczy Blanki zrobiły się teraz ogromne ze zdziwienia.

– Chcę tylko ciebie, zawsze chciałem…

– Dlaczego więc milczałeś?

– Nie miałem odwagi. Zawsze byłaś taka niedostępna, a potem zniknęłaś.

– A co na to twój ojciec?

– Nie wiem, postawię mu się, jeśli tylko mnie zechcesz.

– Miałam odpuścić sobie chłopców… Zastanowię się – odparła figlarnie. – No i nie jestem córką koniarza, więc może być problem – zaśmiała się.

– Kupię mieszkanie i wyprowadzę się stąd, chcę żyć inaczej. O ile zechcesz być ze mną.

– Daj spokój, Toni, mówisz tak poważnie.

– Bo jestem poważny.

– Pogadamy o tym jeszcze, przyjadę w sobotę popatrzeć jak jeździsz.

– Będę czekał – odparł i nieoczekiwanie pocałował ją. Blanka zadrżała, lecz odwzajemniła pocałunek. Uśmiechnęła się lekko i pospiesznie wskoczyła na rower. Niespodziewanie za zakrętem dogoniła ją Kaśka na swoim koniu, zajeżdżając jej drogę.

– Dokąd się spieszysz, cwaniaro?

– Słucham? – Jasne czoło Blanki zmarszczyło się w gniewie.

– Nie jestem głupia, widzę, co kombinujesz. Lepiej odczep się od Toniego albo pożałujesz. Myślisz, że wejdziesz w tak bogatą i dobrą rodzinę? Nie pozwolę na to.

– Nie wiem, o czym mówisz. Przepuść mnie, nic od ciebie nie chcę.

– Toni nie wspomniał ci o naszym ślubie? Na jesieni? – parsknęła, spoglądając na Blankę z góry. – Nasze klany się połączą, odpuść więc sobie, bo źle skończysz – dodała gniewnie i chwyciła mocno za wodze. Koń natychmiast skręcił w polną ścieżkę i zniknął w pobliskim lesie. Blanka, mocno zdenerwowana, szybko wsiadła na rower. Jak Toni mógł jej to zrobić, dlaczego nic nie wspomniał o ślubie?

– Nie pojadę na żadne zawody! Zakpił sobie ze mnie – wyszeptała ze smutkiem w oczach i głęboko rozczarowana pojechała w stronę domu.

Po dziesięciu dniach Witolda wypisano ze szpitala. Kalina nienawidziła go za to, że ją oszukiwał, że zabrał jej młodość, pozbawił marzeń i możliwości samorealizacji, a teraz jak gdyby nigdy nic wracał do domu. Posępniała na myśl o tym, że wkrótce będzie kręcił się po salonie i sypialni. Gdyby tego było mało, ze szpitala przywiozła go Tola, na widok której Kalina zachowała zimną krew. Czuła, że ta kobieta wkrótce zajmie jej miejsce, a ona będzie zmuszona gdzie indziej szukać swojego szczęścia na ziemi. Sprytne oczy Toli świdrowały ją. Kalina dumnie udawała, że tego nie dostrzega, górując nad nią wzrostem, klasą i inteligencją. Obiecała sobie, że chociażby nie wiadomo co się wydarzyło, nie zniży się do poziomu tej rudej zdziry.

– Poradzę sobie sama – powiedziała bojowo, gdy Tola próbowała wpakować się do przedpokoju, z Witoldem opartym na jej ramieniu.

– Chciałam tylko pomóc, Witek jest jeszcze słaby – odparła ostro, rzucając w jej stronę ironiczny uśmiech.

– Ma tu pomoc i swoją rodzinę, niepotrzebnie się pani trudziła.

– To żaden problem, Witek sam chciał, bym go odwiozła do domu. – Kobieta spojrzała na Kalinę złowrogo. Na jej ręce wciąż wisiała srebrna bransoletka. Kalina czuła, że za chwilę eksploduje, miała dość ich obu i gdyby ten dom należał prawnie do niej, nie przyjęłaby Witolda z powrotem. Jednak na tę chwilę nie miała wyjścia.

– Dziękuję za dostarczenie męża i żegnam panią – skwitowała krótko, po czym powoli zamknęła za nią wejściowe drzwi.

Witold podtrzymywał się teraz kurczowo Kaliny i ukradkiem spoglądał na jej bladą twarz.

– Siadaj – rzuciła, pomagając mu rozsiąść się w fotelu. – Jak się czujesz? – dopytywała, jednak w jej głosie nie było krztyny troski.

– Lepiej, lepiej. Kalinko, przepraszam cię.

– Daj spokój, nie chcę teraz o tym rozmawiać, wszystko już wiem i rozumiem. Oddaliliśmy się od siebie, a ty to wykorzystałeś.

– To nie tak.

– Posłuchaj, zajmę się tobą, do południa zajrzy do ciebie twoja mama, ale…

– Ale? – w głosie Witolda zabrzmiała obawa.

– Przemyślałam sobie wszystko i chcę separacji.

– Separacji? Oszalałaś? – Witold złowrogo podniósł głos.

Kalina spojrzała na niego zaskoczona.

– Widzę, że czujesz się już całkiem nieźle, wracasz do sił. – Jej zielone oczy spoglądały na niego gniewnie.

– Nie dostaniesz żadnego rozwodu ani separacji. Rozumiesz?

– Nie? A co z twoją kochanką?

– To przelotne, kocham cię i to się nigdy nie zmieni.

– Serio? – Kalina zaśmiała się ironicznie. – Już od dawna nie czuję, że mnie kochasz, i powiem więcej, nie chcę być już z tobą!

– Nie masz wyjścia, gdzie się podziejesz?

– Poradzę sobie, nie doceniasz mnie.

– Możliwe. Z pewnością jesteś uparta, ale nie pozwolę ci odejść.

– Znajdziesz sobie inną służącą – rzuciła ostro w jego kierunku.

– Mówisz głupstwa.

– Nie sądzę, znam cię. Taki już jesteś… Poczekam, aż wrócisz do sił, a potem wyprowadzę się razem z Blanką, nic od ciebie nie chcę. Zostaw sobie ten dom – dodała dumnie, choć jej zraniona dusza cierpiała.

– Po moim trupie – wysapał ciężko i oparł głowę o fotel, chwytając się za serce. Kalina wiedziała, jak świetnym aktorem potrafił być, gdy tylko chciał osiągnąć swój cel.

– Wychodzę na chwilę na spacer, wybacz, że nie będę teraz wokół ciebie biegała. Przemyśl to, o czym rozmawialiśmy, ja nie żartuję.

Witold zamilkł, a ona chwyciła smycze wiszące na ścianie i przywołała psy. Teri i Skot przybiegły natychmiast, piszcząc z zachwytu.

– Będę za godzinę, prześpij się. – Spojrzała ukradkiem w jego stronę. Witold, blady jak ściana, przechadzał się po salonie, nie kryjąc niezadowolenia.

Nazajutrz rano pociąg podjechał na stację punktualnie. Kalina odruchowo szukała w tłumie pasażerów znajomej, męskiej twarzy o pięknych, ciemnych oczach. Od razu ruszyła w stronę swojego przedziału, który dziś był prawie pusty, niestety Ratimira w nim nie było. Dołączył do niej po krótkiej chwili.

– Szukałem cię w całym wagonie, już myślałem, że zmieniłaś miejsce – wyszeptał jej do ucha, siadając tuż obok. Kalina poczuła przyjemne drżenie, a na jej smutnej i zmęczonej twarzy zagościł uśmiech.

– Nie zmieniłam, miałam nadzieję, że się jeszcze pojawisz – odpowiedziała, słysząc bicie własnego serca. Za każdym razem, gdy go widziała i słyszała jego przyjemny głos, czuła, jak powraca do niej życie.

– Naprawdę? A dlaczego?

– Jak to? Lubię cię...

– Tylko tyle? – W jego głosie zabrzmiało rozczarowanie.

– Uważam, że to dużo jak na początek – wyznała ostrożnie, choć jej serce wyrywało się do niego.

– Początek czego? – Ratimir czasem irytował ją swoimi pytaniami. Nie lubiła, kiedy wpędzał ją w zakłopotanie.

203

– Przyjaźni…? Nie wiem, to się okaże – uśmiechała się.

– Ale my już się przyjaźnimy. Zatem teraz chyba czas na coś więcej.

– Nie jestem taka prędka, pomyliłeś się. – Poczuła się urażoną jego sugestią.

– Źle mnie zrozumiałaś, nie lubię łatwych kobiet, a ty z pewnością do nich nie należysz – zaśmiał się głośno, pokazując swoje śnieżnobiałe zęby. Wyglądał teraz pięknie, męsko, zniewalająco i bosko. Kalina westchnęła i uśmiechając się lekko, przyjęła tę uwagę w milczeniu.

– W takim razie co miałeś na myśli?

– Porywam cię po pracy – oznajmił, nie czekając na jej aprobatę.

– Cudownie, a dokąd?

– Na piknik do parku. Zobaczysz, jak tam pięknie.

– Do parku?

– Tak, a co? Rozłożymy sobie koc na trawie i zjemy coś pysznego. Menu przygotuję sam, bo kocham gotować, a potem pójdziemy na spacer. – Spojrzał na nią tak przenikliwie, że nie wiedziała, czy żartuje, czy mówi prawdę. Jak nieśmiała nastolatka na chwilę spuściła wzrok.

– Zgoda – odparła. – A do którego parku pójdziemy?

– Czy to ważne? Byle byśmy byli razem – wyznał tak szczerze, że nie mogła mu odmówić.

– Dobrze, to fantastyczny pomysł.

Przez chwilę ich spojrzenia spotkały się. Twarz Ratimira przybliżyła się do niej powoli w nadziei na pocałunek, gdy nagle ktoś wtargnął do przedziału, wywołując popłoch na twarzy Kaliny.

– Kontrola biletów. – Tęga pani w szarym uniformie spoglądała na nich służbowo. Oboje zaczęli przeszukiwać kieszenie.

– Dziękuję, miłej podróży – oznajmiła po chwili, po czym zamknęła drzwi od przedziału. Oboje z Ratimirem spojrzeli na siebie, uśmiechając się jak dwoje zwariowanych nastolatków.

– A już bym cię pocałował – wyszeptał jej do ucha.

Kalina nie potrafiła dłużej udawać. Miała obok siebie cudownego, opiekuńczego mężczyznę jak ze snu.

– Miałam taką nadzieję – wyszeptała i zbliżyła do jego ust swoje wargi. Coś w nią wstąpiło, jakieś szaleństwo, wariactwo, wulkan uczuć. Miała tylko nadzieję, że jej kobieca intuicja tym razem jej nie zawiedzie.

Pociąg głośno zapiszczał i zaczął zwalniać. Na przejściu jak zawsze tworzył się tłok i zamieszanie.

To już moja stacja…

Ciągle spoglądali na siebie, a w jej zielonych oczach błyszczało teraz tysiące gwiazd.

– Do zobaczenia, będę czekał na ciebie. – Ratimir chwycił ją za rękę i delikatnie pocałował. Kalina czuła, jak cudowne ciepło przenika jej ciało.

– Do zobaczenia – odparła i powoli wysunęła dłoń z jego objęć.

Opuszczając przedział, rzuciła mu jeszcze czułe spojrzenie przez ramię, jednak tłum pasażerów bezlitośnie popychał ją w stronę wyjścia. Po wyjściu z pociągu szybko odwróciła twarz, szukając jego spojrzenia. Nagle spostrzegła, jak wychyla się przez okno i kiwa jej serdecznie.

– Kocham cię – wyszeptała cichutko i po chwili zniknęła wśród tłumu przechodniów.

Drewniany taras domu otulały ciepłe promienie słońca. Wysokie i smukłe trzciny delikatnie szumiały na wietrze, rytmicznie wybijając swój takt. Tylko dzika kaczka pływała spokojnie po tafli jeziora, zdobiąc swymi barwnymi piórkami jego linię brzegową. Blanka siedziała w swoim pokoju tuż przy oknie i wpatrywała się w pobliski las. Nie miała na nic ochoty, więc przysłuchiwała się, jak dzięcioł uderza swym dziobem o świerkowe drzewa. Nagle zupełnie niespodziewanie zabrzmiał dzwonek u drzwi. Z niechęcią podniosła się z krzesła i zbiegła schodami w dół. Spojrzała w kierunku salonu; ojciec zasnął na kanapie, a Skot i Teri znudzone leżały u jego nóg. Blanka podeszła do drzwi i spojrzała przez wizjer. Przymknęła oczy i westchnęła głośno, a po chwili namysłu otworzyła.

– Cześć. – Toni nie wyglądał dobrze, a na jego twarzy malował się smutek.

– Cześć. – Jej zielone oczy spoglądały na niego nieufnie.
– Co ty tu robisz?

– Przyjechałem sprawdzić, co u ciebie. Nie dotarłaś na skoki, choć mi obiecałaś, że będziesz.

– Nie mogłam, muszę zajmować się ojcem – skłamała, choć tylko sporadycznie zaglądała do niego, gdy nie było w domu mamy.

– Mogę wejść?

– Nie, zaraz wychodzę, po co przyjechałeś? – spytała ostro, aż Toni oniemiał.

– Jak to? Przecież mówiłem, że cię odwiedzę, zgodziłaś się, przecież wiesz, co do ciebie czuję – odparł zaskoczony odrzucającą reakcją dziewczyny.

– A to ciekawe… To samo mówisz swojej narzeczonej?

– Jak to?

– Posłuchaj, jesteś ode mnie starszy, ale to nie znaczy, że możesz sobie żartować z moich uczuć – zaczęła ostro, opierając się o dębowe drzwi.

– Nic z tego nie rozumiem…

– Nie udawaj, wiem, że macie się pobrać, więc lepiej daj mi spokój i nie przychodź tu więcej – rzuciła mu prosto w twarz, tym samym usiłując go wyprosić i zamknąć drzwi tuż przed jego nosem. Toni jednak zareagował szybciej i nogą zablokował drzwi.

– Po pierwsze, jesteś niegrzeczna, a po drugie, nie wiem, o czym mówisz, u licha. – Jego ton brzmiał teraz stanowczo, a na czole pojawiły się śmieszne zmarszczki.

– Nie udawaj niewinnego, wszystko powiedziała mi ta twoja Kaśka. A teraz spadaj!

– Co?!

– A to! – krzyknęła, ponownie próbując zamknąć mu drzwi przed nosem. Bez skutku.

– Posłuchaj! Nie wiem, co Kaśka ci nagadała, ale nic nie wiem o żadnym ślubie. Okłamała cię, bo nie chciała, byś przyjechała do mnie na zawody.

– Dlaczego właściwie mam ci wierzyć?

– Powinnaś.

– Coś takiego! Jeśli kłamiesz, utnę ci...

– Nie kończ!

– ...język – zakończyła, wzdychając ciężko.

– Nigdy cię nie okłamałem, nie mógłbym. – Toni spojrzał jej prosto w oczy i powoli wszedł do domu, cicho zamykając za sobą drzwi.

– Dlaczego nie mógłbyś?

– Bo cię kocham, dlatego.

– Lepiej mnie nie okłamuj, bo już raz ktoś to zrobił. A wtedy znienawidzę cię do końca życia.

Toni uśmiechnął się.

– Dasz się zaprosić do kina? Zostań moją dziewczyną, Blanka.

– Mówisz serio? I naprawdę się z nią nie żenisz?

– Naprawdę. – Jego niebieskie oczy śmiały się do niej serdecznie. Blanka odwzajemniła uśmiech, będąc pod jego urokiem.

– Zgoda, ale nigdy mnie nie okłamuj i nie zrywaj ze mną przez SMS-a.

– Nie mam zamiaru z tobą zrywać.

– To się jeszcze okaże – zaśmiała się i chwyciła jego dłoń, kładąc ją sobie na sercu.

Park miejski należał do najpiękniejszych w okolicy. Jego stare drzewa tworzyły cudne, bajeczne alejki, a świeżo wykoszone trawy zachęcały do leżakowania. Ciepło dnia sprzyjało takim pomysłom, tak więc uczynił też Ratimir. Czekał na Kalinę w starszej części parku, tam, gdzie jezioro styka się ze świerkowym laskiem. Niektórzy dziwnie mu się przyglądali, gdy siedział samotnie na kocu w granatowo-białą kratę, on jednak zdawał się tego nie dostrzegać, interesowało go tylko jedno: czy i kiedy pojawi się Kalina. Tym razem się nie zawiódł. Już z daleka dostrzegł jej zgrabną, kobiecą sylwetkę i jasne włosy świetliście błyszczące w promieniach słońca. Zdziwienie Kaliny rosło, w miarę jak się do niego zbliżała.

– Chyba jestem nieodpowiednio ubrana – zauważyła, odgarniając z czoła kosmyki włosów.

– Dlaczego tak myślisz? – spytał, lekko mrużąc oczy.

– Mam na sobie szpilki, sądziłam, że...

– ...usiądziemy na ławce przy stoliku? – dokończył wesoło za nią.

– Coś w tym stylu – przytaknęła, wiedząc, że popełniła gafę.

– Wystarczy, że zdejmiesz buty i usiądziesz tu przy mnie.

– Skoro tak mówisz…

– No już, zdejmuj je – rzucił niemalże rozkazująco, ale z przymrużeniem oka. Kalina wyglądała na zaskoczoną, peszyły ją spojrzenia ciekawskich spacerowiczów.

– Dlaczego się denerwujesz? – Ratimir przyglądał się jej twarzy, na której malowała się niepewność.

– Nie denerwuję się, po prostu jeszcze tego nie robiłam.

– Czego? Nie siedziałaś na kocu? – Jego ciemne oczy spoglądały na nią z rozbawieniem.

– Siedziałam – zaśmiała się – ale nie w parku. Czy to nie jest karalne? – To pytanie ponownie wywołało uśmiech na jego twarzy.

– Zabawna jesteś. Nie sądzę. Najważniejsze, że przyszłaś – wyznał, patrząc na jej jasną twarz.

– Przecież obiecałam. I muszę przyznać, że jestem trochę głodna.

To dobrze, zrobiłem dla nas kanapki. Masz ochotę?

– Oczywiście.

– Specjalnie dla ciebie, przyozdobione kwiatami polnymi.

Faktycznie Kalina musiała przyznać, że czegoś tak pięknego jeszcze nie widziała. Każda kanapka była precyzyjnie dopracowana, niemalże wypieszczona, a na samej górze przyozdobiona makiem polnym, chabrem bądź koniczynką.

– Rozpieszczasz mnie! Nigdy nie jadłam czegoś podobnego, jeszcze nikt nigdy nie zrobił dla mnie czegoś podobnego. – Spojrzała w jego pełne ciepła i zachwytu oczy.

– Czyli miałem dobry pomysł?

– Cudowny. Sprawiasz, że czuję się przy tobie wyjątkowo i natychmiast zapominam o wszystkich trudnych sprawach.

Poproszę tę z makiem – zaśmiała się i z apetytem wyciągnęła rękę po kanapkę.

– I co, smakuje?

– Pyszna, masz prawdziwy talent kulinarny.

– Marzę o tym, by gotować zawodowo…

– Własna restauracja?

– Tak, ale nie tu.

– A gdzie?

– W Czarnogórze.

– Ach tak…

– Dlaczego nagle tak posmutniałaś?

– Czasem zapominam, że nie tutaj są twoje korzenie, pewnie tęsknisz za swoją rodziną.

– Czasem tak. Czarnogóra to był trudny kraj, ze smutną przeszłością.

– Ale szczęśliwie trafiłeś tutaj.

– Tak. Gdy byłem nastolatkiem uciekłem stamtąd razem z matką i siostrą, musieliśmy się ratować, w kraju trwała straszna wojna.

– Nie wiedziałam, że tak wiele przeszedłeś.

– Gdy doszło do wojny, musieliśmy dołączyć do Serbii przeciw naszym braciom. Część Czarnogórców dołączyła do walk przeciw Chorwatom, jednak my nie chcieliśmy w tym uczestniczyć. Konflikty na tle wyznaniowym i narodowościowym nawarstwiały się. Wywodzę się z rodziny katolickiej, dlatego moja rodzina nie chciała walczyć. To były okropne czasy… Serbowie przeważali w każdej z republik i nawoływali do walki. Kto nie chciał iść do wojska, zamykany był w więzieniu. Moja matka od dawna chorowała, a ojca zmuszono, by przyłączył się do Serbów. Wtedy wiedziałem, że przyjdą i po mnie, dlatego zabrałem siostrę i matkę i uciekliśmy w nocy. Później dowiedziałem się, że ojciec zginął, walcząc przeciwko swoim braciom. Pomimo że mój kraj ogłosił neutralność, to działania wojenne i tak były nieuniknione. Przez długi czas Czarnogóra ponosiła konsekwencje serbskich działań wojennych. Z tego powodu od zawsze pragnęliśmy niezależności. Jednak konflikt przez długi czas nasilał się, w końcu odcięto ludzi od dostaw żywności i benzyny. W latach kryzysu za miesięczną pensję można było kupić tylko chleb i mleko. Ludzie nie mieli co jeść, a wojna pochłonęła setki tysięcy ofiar.

– A ty? Dotarłeś tutaj cały, a twoja siostra i matka… czy nadal tu mieszkają? – W zielonych i błyszczących oczach Kaliny pojawiło się przejęcie i głębokie współczucie. Ratimir tylko westchnął.

– Nie, matka zmarła na zapalenie płuc, zaraz po tym, jak dostaliśmy status uchodźców.

– A siostra?

– Wyjechała. Jeszcze podczas pobytu w naszym kraju zakochała się w pewnym Bośniaku i wróciła tam do niego, teraz oboje mieszkają w Mostarze i razem wychowują dwójkę dzieci. I choć niektórzy Bośniacy nienawidzili nas, Czarnogórców, przez tę wojnę, to oni się pokochali, wbrew konfliktom i temu całemu złu.

– Piękna historia. Twoja siostra musi być wyjątkową i odważną osobą. Więc jesteś tutaj sam? – dopytywała z zainteresowaniem, chcąc dowiedzieć się o nim jak najwięcej.

– Tak, niestety – uśmiechnął się smutno. – Moja była żona jakiś czas temu wyjechała do pracy do Anglii, wkrótce okazało się, że poznała tam kogoś i zakochała się…

– Przykro mi. A macie dzieci?

– Nie, ona nie chciała. Lora zawsze twierdziła, że jeszcze zdążymy, że to może poczekać. Gdy odeszła, nie miałem nikogo. Byłem samotny jak pies, dopóki nie poznałem ciebie – wyznał, a Kalina zastygła na chwilę, słuchając go uważnie. Ratimir okazał się jeszcze ciekawszym i wspanialszym człowiekiem, niż sądziła. Zaistniałą ciszę mącił śpiew ptaków i rozmowy nielicznych, mijających ich spacerowiczów. Kalina poczuła, że każda cząstka jej ciała pragnie być bliżej niego, mężczyzny wyjątkowego i zesłanego jej przez niebiosa.

– Nic nie zjadłeś. Mogę wybrać kanapkę dla ciebie?

– Proszę bardzo, może być ta z koniczynką.

– A zatem ta jest dla ciebie – przytaknęła, sięgając po kawałek smakowitej i pięknie wyglądającej bułki. – Wiem, że to dziwnie zabrzmi, ale cieszę się, że wówczas uciekłeś, inaczej nigdy bym cię nie spotkała.

– Cóż, moja ojczyzna to piękny kraj – westchnął, a w jego oczach dostrzec można było niewypowiedzianą tęsknotę. – Powoli odradzający się z biedy i spustoszenia. Bardzo chcę tam znowu pojechać. Nawet nie możesz sobie wyobrazić, jak tam jest pięknie, gdy wysokie góry Durmitor łączą się z ciepłym i błękitnym morzem. Kiedy zamknę oczy, wciąż widzę czyste jak kryształ jeziora, łagodne i dzikie plaże, rwące rzeki i silne, niezmierzone góry. Gdybym cię tam zabrał, moglibyśmy spacerować brzegiem morza, a potem zjeść pyszny obiad nad jeziorem.

– I pewnie zawsze świeci tam słońce – wtrąciła rozmarzonym głosem.

– Przez większość dni w roku – zaśmiał się, przeciągając leniwie swe ciało na kocu. – To mały kraj, ale wierz mi, jest naprawdę piękny. Pokazałbym ci tropikalne jezioro Szkoderskie, wokół którego można spotkać pelikany… Ach…

– Ależ tam musi być cudnie!

– Oj tak.

– Chciałabym kiedyś poznać twój kraj.

– Pojedziemy tam, jak tylko zakończę tu moje wszystkie sprawy.

– Czyli jakie?

– Chciałem odłożyć trochę pieniędzy i uzyskać rozwód, ale to niełatwe.

– Niełatwe? Dlaczego?

– Lora mi to utrudnia, nie wiem, co kombinuje, ale nagle nie chce podpisać papierów rozwodowych.

– A może ona chce wrócić i cię odzyskać? – W oczach Kaliny pojawiło się nagłe zwątpienie i niepokój.

– Wątpię, nie ma na to najmniejszych szans, bo moje serce jest już zajęte – wyznał i spojrzał w głąb jej świetlistych oczu. Kalina miała wrażenie, że znają się już tysiące lat i oboje rozumieją znacznie więcej, niż są w stanie wypowiedzieć. Ratimir przybliżył się do niej i burząc jej delikatne włosy o barwie jasnej słomki, pocałował namiętnie w usta. Ona gładziła go delikatnie po policzku, czując jednocześnie, jak coś się w niej zmienia.

– Denerwujesz się? – Ratimir nieoczekiwanie wyszeptał jej do ucha.

– Nie, skąd ten pomysł?

– Drżysz – uśmiechnął się, spoglądając na nią.

– Nieprawda – zaprzeczyła i zgrabnym ruchem ręki poprawiła lekko zmierzwione włosy.

– Boisz się, że się zakochasz i nic na to nie poradzisz? – uśmiechnął się z przekąsem, wprawiając jej serce w ponowny zamęt. Jej blade policzki zaróżowiły się jak róża.

– Co za nonsens, nie jestem zakochana – zaprzeczyła, drocząc się z nim i z wrażenia wstrzymując oddech.

– W takim razie nieźle całujesz jak na kogoś, kto nie jest zakochany. – Uśmiechał się, a ona przekomarzała się z nim dalej, udając obojętną. Cały świat zatrzymał się na chwilę, gdy tak spoglądali na siebie. Kalina nie zdołałaby już oszukać własnego serca, bowiem nigdy dotąd nie czuła się aż tak szczęśliwa.

Ciemna butelka z winem stała na starym kredensie, a zegar kuchenny wiszący na ścianie miarowo odmierzał czas. Witold siedział przy stole i przygnębionym wzrokiem śledził ruchy wskazówek zegara. Nagle wstał i podszedł do szafki, zajrzał do środka i bez najmniejszego wahania sięgnął po lśniący kieliszek. Butelka kusiła go od samego ranka, więc, nie czekając dłużej, zdecydowanym ruchem ręki wyjął z niej korek. Bulgot nalewanego wina rozniósł się cichym echem po salonie. Witold przechylił kieliszek i powoli wypił jego zawartość, racząc się każdym łykiem. Znacznie lepszy stan zdrowia pozwolił mu uznać, że może już pić alkohol, choć na razie w niewielkich ilościach. Ponownie przechylił kieliszek, dopijając resztę płynu. Następnie schował skrzętnie butelkę do kredensu i drapiąc się po głowie, wyszedł na taras. Usiadł w fotelu, jednak wciąż sprawiał wrażenie podenerwowanego. Detektyw Feliks nadal milczał, a on nadal pozostawał z rosnącymi długami. W końcu niecierpliwość wzięła górę. Witold wyjął z kieszeni spodni telefon i wyszukał jego numer. Niestety nikt nie odbierał, co wywoływało u Witolda jeszcze większy popłoch. Po chwili oczekiwania telefon niespodziewanie zaczął wibrować, wydobywając z siebie dźwięczną melodię.

– Słucham?

– Cześć, właśnie miałem do ciebie dzwonić. – Feliks przemawiał donośnym głosem.

– No nareszcie! I co, masz dla mnie dobre wiadomości?

– Niestety nie…

– Jak to?

– Okazuje się, że ten twój pseudowspólnik, Krzysztof Zagórski, nie żyje.

– Co? – Ręce Witolda zaczęły delikatnie drżeć.

– Dwa tygodnie temu, w Niemczech, w jakimś małym miasteczku…

– Boże! Jak zginął?

– Czy to ważne? – zakpił Feliks.

– Dla mnie ważne, ukradł mi mnóstwo pieniędzy.

– Cóż, dowiedziałem się tylko tyle, że zginął z rąk jakiegoś mafioza, był wplątany w nieciekawe interesy, to zapewne były porachunki. Więc przykro mi, stary, ale tej kasy z pewnością już nie odzyskasz.

Witold zamilkł, a telefon nieświadomie wypadł mu z ręki, wywołując huk na drewnianej podłodze. W tej samej chwili Witold zrozumiał, że jego nadzieje na odzyskanie domu i oszczędności życia rozsypały się jak pył na wietrze.

Wieczór powoli okrywał się mrokiem. Witold od godziny drzemał na sofie, upojony słodkim winem. Gorzki smak porażki odbierał mu chęci do życia. Blanka, jak zawsze zamknięta w swym pokoju, zdawała się niczego nie dostrzegać. Kalina wróciła do domu wieczorem, gdy Witold już spał. Wolała go nic budzić, od razu poczuła od niego alkohol. Siedziała teraz w wannie i usiłując nie myśleć o niezrozumiałych poczynaniach męża, wspominała smak i urok spotkania z Ratimirem. Jednocześnie świetnie zdawała sobie sprawę z tego, że musi porozmawiać z mężem. Ostatnio coraz bardziej drażniło ją jego zachowanie. Nie mogła pojąć, z jakiego powodu tak szarżuje własne zdrowie i życie. Widząc to wszystko, miała wielką ochotę spakować się choćby zaraz i wyprowadzić. Nie była jednak naiwną nastolatką, musiała spokojnie wszystko rozważyć. A co zrobi z Blanką? Czy jedyna córka zechce ją zrozumieć? Blanka jednak dorastała i z każdym dniem rozumiała coraz więcej.

Z twarzą zanurzoną w wodzie, Kalina rozważała każde czułe słowo Ratimira. Przywoływała w myślach jego obraz, zapach, barwę głosu, kolor przenikliwych, spokojnych i radosnych oczu. Jakże był inny od Witolda, jak cudownie odmienny, jak w niezrozumiale magiczny sposób powodował, że czuła się pięknie, wyjątkowo i kobieco. Z każdym dniem zakochiwała się w nim coraz bardziej. Gdyby tylko była wolna, gdyby tylko Blanka zdołała ją zrozumieć… Jej ciało oddawało się rozkoszom kąpieli, a problemy zdawały się oddalać. Po dłuższej chwili, gdy nacieszyła się kąpielą, wstała, wynurzając się z pachnącej owocami lata kąpieli. Naga, jak Bóg ją stworzył, stanęła na gąbczastym chodniku, ręką szukając ręcznika. Ubrana w podomkę, podeszła do wiszącego nad umywalką lustra. Delikatnym ruchem dłoni przetarła jego powierzchnię, zmywając krople pary wodnej. Spojrzała w lustro ponownie, w lekko zamglonym odbiciu ujrzała swą ożywioną twarz, pokrytą rumieńcem. I mimo że patrzyła na swoje odbicie, to zdawała się w nim widzieć twarz Ratimira, zupełnie jakby jego piękne, magnetyczne oczy wpatrywały się w nią teraz z czułością. Myśląc o nim, Kalina nie czuła się winna wobec męża, przeciwnie – znajdywała w tym radość i przyjemność, uczucia, których od dawna już nie odczuwała. Ratimir dawał jej siłę, której tak bardzo potrzebowała, by stawić życiu czoła. Jej serce było przepełnione miłością do niego i za żadne skarby nie chciała z tego rezygnować. Poczuła, że jest gotowa, by zmierzyć się ze swymi lękami i wreszcie szczęśliwie żyć. Wiedziała już, że musi odejść od Witolda, nie wiedziała jedynie, jak to zrobić, by nie zranić uczuć córki.

Wyczekując kolejnego spotkania z ukochanym, Kalina niecierpliwie zbiegała uczelnianymi schodami, mijając liczne grupki uczniów i nauczycieli. Nagle za jej plecami zabrzmiał znajomy kobiecy głos.

– Pani Kalino, czy coś się stało? – Telimena wpatrywała się w nią, nie kryjąc swego zaskoczenia.

– Nie, ależ skąd, po prostu się spieszę – odparła zasapanym głosem.

– I jak się pani u nas czuje? Słyszę, że uczniowie są zadowoleni z pani zajęć. To mnie cieszy – stwierdziła z aprobatą.

– Mnie również. Kalina nerwowo tupała w miejscu, bardzo chciała zdążyć na czas. – Przepraszam, ale trochę się dziś spieszę.

– Naturalnie – chrząknęła Telimena. – Nie będę pani dłużej zatrzymywała, jednak proszę pamiętać o naszej jutrzejszej naradzie.

– Oczywiście, pamiętam – uśmiechnęła się i jak nastolatka zbiegła schodami w dół. Kobieta ruszyła w stronę pokoju nauczycielskiego, a Kalina zniknęła w drzwiach holu.

Powiew wiatru delikatnie rozwiewał jej jasne włosy, mieniące się teraz w promieniach słońca przeróżnymi odcieniami złota. Podekscytowana spotkaniem z Ratimirem, Kalina gnała przed siebie jak dziewczyna, która nie może doczekać się swojej pierwszej, wymarzonej randki. Droga dłużyła się jej nieznośnie. W końcu za kolejnym zakrętem dojrzała znajomy park. Oczy Kaliny nagle zabłysły, a serce, głodne nowych emocji, biło jak szalone. Parkowa alejka porośnięta pięknymi dzikimi różami zapraszała, by do niej zawitać, przyciągając przechodniów swym urokiem i jakąś dziwną, niezbadaną magią. Kalina zbliżyła się o kilka kroków i przystanęła na chwilę. Sięgnęła do torebki, wyciągnęła malutkie podręczne lusterko, spojrzała w nie ukradkiem i po chwili pospiesznie schowała. Gdy zdecydowała się pójść dalej, Ratimir stał już przy niej. Nie mogąc doczekać się spotkania, wyszedł jej naprzeciw.

– Nie mogłem już dłużej wytrzymać bez ciebie – wyszeptał tuż nad jej uchem. – Wyglądasz tak pięknie...

Kalina spojrzała w jego ciepłe, spokojne oczy.

– Ja też nie mogłam wytrzymać.

Ratimir przytulił ją delikatnie do siebie, co sprawiło, że poczuła się niezwykle bezpiecznie.

– Przejdziemy się? – zaproponował, spoglądając na jej delikatnie zarysowany profil. Kąciki jej ust uniosły się w uśmiechu, a w oczach zamigotały tysiące świetlistych gwiazd. Kiwnęła głową w odpowiedzi.

– Pokażę ci coś niezwykłego, odkryłem to miejsce całkiem niedawno i zupełnie przypadkowo. – Jego głos brzmiał niezwykle tajemniczo.

– Co takiego?

– Zobaczysz za chwilę.

– Oj, powiedz mi teraz.

– Nie mogę. Zamknij oczy – wyszeptał.

– Ale po co?

– No zamknij, zaufaj mi.

– Już zamykam. – Kalina zatrzymała się i przymknęła powieki. Ratimir stanął tuż za nią i przewiązał jej oczy chustką. – A to, żebyś nie podglądała.

Uśmiechnął się i chwycił ją za rękę. Kalina początkowo czuła się niepewnie, jednak obietnica poznania niespodzianki była silniejsza. Czuła się jak mała dziewczynka, która za chwilę odkryje nowy, nieznany, bajeczny ląd. W końcu, przemierzywszy wiele zawiłych ścieżek, przystanęli i Ratimir powoli zdjął chustkę z jej oczu.

– Już mogę spojrzeć?

– Tak, możesz. – Z jego twarzy nie schodził uśmiech.

Jej zielonym oczom ukazała się niezwykłej urody alejka porośnięta wspaniałymi drzewami, ozdobiona kwiatami róż. Czegoś tak pięknego jeszcze nie widziała. Alejka zdawała się ciągnąć w nieskończoność, a dróżka wzdłuż niej obsypana była pięknymi, nieznanymi jej dotąd kwiatami. Kalina stała w zachwycie, nie potrafiąc wydobyć z siebie ani słowa.

– Podoba ci się? – Ratimir przyglądał się jej jak urzeczony.

– Czy mi się podoba? To coś niezwykłego, nieziemskiego… Jak tu pięknie! – westchnęła w odpowiedzi i dalej rozglądała się wokół, ciesząc oczy różaną alejką.

– Jak odkryłeś to miejsce? – Jej oczy lśniły teraz niezwykłym blaskiem.

– Przypadkiem. Zgubiłem coś, gdy ostatnio byliśmy w parku, wróciłem tutaj i jakimś dziwnym trafem skręciłem w tę nieznaną i dość mocno zarośniętą winobluszczem ścieżkę.

– To niezwykłe. Dziękuję, że pokazałeś mi to miejsce.

– Miałem nadzieję, że ci się spodoba.

– Czy komuś mogłoby się tu nie podobać?

– Interesuje mnie tylko, czy tobie się podoba.

– Bardzo! – Kalina uśmiechnęła się i objęła go z całych sił.

– W takim razie jestem bardzo szczęśliwy. Kiedy pojedziesz ze mną w moje strony, zobaczysz, ile rośnie tam równie pięknych drzew.

– Aż tak pięknych?

– Pięknych i egzotycznych.

– Chciałabym poznać twój kraj, choć trochę.

– Na to liczyłem. – Pocałował ją w policzek, a następnie w usta. – Wiesz, że cię kocham?

Po chwili spojrzał w jej błyszczące oczy. Zaróżowione policzki dodawały jej jeszcze większego uroku.

– Naprawdę? – droczyła się z nim uparcie.

– Naprawdę – odparł i nagle spoważniał. – Czy jest szansa, że kiedyś odejdziesz od męża?

Kalina spojrzała w bok.

– Dlaczego teraz o to pytasz? – Na jej twarzy pojawiło się zdziwienie.

– Bo chciałbym z tobą być.

– Czy nie za wcześnie na takie rozważania?

– Ja tak nie sądzę.

Kalina milczała przez chwilę.

– Potrzebuję czasu, by to sobie poukładać. To niełatwe, choć pewnie takie się wydaje.

– Bo takie jest.

– Zapominasz, że mam córkę.

– Nie zapomniałem o niej.

– W takim razie powiem ci szczerze, że nie umiem... Nie wiem, jak wyznać jej prawdę. – Nerwowo ścisnęła dłonie. Ratimir westchnął.

– Rozumiem cię, ale kiedyś będziesz musiała jej powiedzieć albo, co gorsza, dowie się sama.

– Wiem, ale to wszystko tak szybko się dzieje, poznałam ciebie i...

– ...i?

– Nie sądziłam, że moje życie kiedykolwiek tak bardzo się odmieni.

– Co w tym złego, jeśli to zmiana na lepsze?

– Nic złego, tyle że to trudne i zawsze ktoś ucierpi.

– Najbardziej cierpisz ty, Kalina. Miotasz się i nie umiesz podjąć konkretnej decyzji, ale nie pospieszam cię.

– Nie rób tego, proszę.

– Nie mam zamiaru, ale pomyśl o tym.

– Pomyślę – obiecała, a Ratimir zbliżył się do niej i wsunął jej za ucho kwiat róży, który właśnie spadł mu na głowę.

– Niech to miejsce będzie naszą tajemnicą – wyszeptał i pogłaskał jej jasne włosy.

Blanka wracała z koleżankami ze szkoły. Piękny i ciepły dzień nastrajał dziewczyny do zabawy.

– Słuchajcie – zaczęła Klaudia – pójdźmy skrótem przez ten park, co wy na to?

– No nie wiem… – zaczęła Blanka. – Jestem umówiona, nie mam tyle czasu. Może innym razem.

– No coś ty! Naprawdę masz kogoś? Popatrzcie, taka cicha, szara, a jednak ma powodzenie – zaczepiła ją Marzena.

– Daj jej spokój. O co ci chodzi? – wtrąciła się Klaudia. – Blanka jest spoko. To jej sprawa, jeśli kogoś ma.

– To co robimy? – Przewróciła oczami Marzena, wzdychając głośno.

– Idziemy przez park, a potem do kina.

– Ja odpadam, pójdę z wami do parku, a potem znikam, sorki. – Blanka wyglądała na nieprzejednaną.

– Spoko – odparła Klaudia. – Chodźmy już, szkoda czasu, zobaczycie, jak tu jest pięknie.

Dziewczyny zeszły kamiennymi schodkami. Park był ogromny, stary i wyglądał niezwykle tajemniczo.

– Jeszcze nigdy tu nie byłam – zaczęła Blanka urzeczona tym niezwykłym miejscem. – Pięknie tu!

– No widzisz, a nie chciałaś pójść – zaśmiała się Klaudia.

– To nie tak... Po prostu się umówiłam.

– Daj spokój, rozumiem cię, też mam chłopaka.

– Ty też? – Oczy Marzeny przeszywały ją na wskroś. – To tylko ja nikogo nie mam?

– Na to wychodzi – zaśmiała się Klaudia i po chwili zaczęły przekomarzać się z Marzeną, której nogi ubrane w legginsy w poprzeczne pasy sprawiały wrażenie, jakby miały za chwilę wybuchnąć. Blanka z trudem powstrzymywała się od uwag na ten temat, gdy nagle jej oczom ukazała się znajoma kobieca postać. Jej twarz nagle pobladła i posmutniała. W drugim końcu alejki stała jej matka w towarzystwie nieznanego mężczyzny, który przytulał ją i całował.

– Nie wierzę... – Jej blade usta szeptały te słowa jak mantrę. – Nie wierzę...

– Blanka, co ci jest? Dobrze się czujesz? – Marzena zauważyła dziwny wyraz twarzy u koleżanki.

– Nie... nie czuję się dobrze... Muszę już iść – odparła nastolatka i odwróciwszy się na pięcie, pobiegła daleko przed siebie.

– Rozumiesz coś z tego? – Marzena spojrzała na zaskoczoną minę Klaudii. – Wyglądała, jakby zobaczyła ducha. Ona jest jakaś dziwna, nie sądzisz?

– Nie wiem, ale myślę, że coś ją trapi i lepiej dajmy jej teraz spokój – westchnęła Klaudia i spojrzała w kierunku oddalającej się Blanki.

Witold z bolącą i odrętwiałą głową od rana przesiadywał na tarasie i choć powoli kończyło mu się zwolnienie lekarskie, zdecydowanie odmówił wyjazdu do sanatorium. Spędzał czas, nic nie robiąc. Jedynie degustował kolejne butelki wina. Stał się bankrutem, człowiekiem przegranym, choć mimo wszystko – wciąż dumnym. Właśnie sączył kolejny kieliszek wina, gdy Blanka wpadła do domu jak błyskawica. Jej intensywnie zielone oczy przybrały inny, jakby dziki wyraz. Witold osłupiał na jej widok.

– Co ty tu robisz? Nie jesteś w szkole? – Jego głos brzmiał dość melodyjnie, adekwatnie do ilości alkoholu, jaką zdołał już wypić od rana. Blanka przeszyła go mroźnym spojrzeniem.

– Co ci jest? Dlaczego milczysz, dziecko? Powiedz coś, u licha! Nie poznaję cię, Blanka. – Jego czoło zmarszczyło się lekko, wyczekując jakieś reakcji.

– Nienawidzę cię! – Nagle padła okrutna odpowiedź. – To wszystko przez ciebie!

Witold zadrżał.

– Uspokój się, powiedz, co się stało?

– To przez ciebie nic nam nie wychodzi! – krzyknęła. – Siedzisz tu tylko i pijesz, a nasza rodzina się rozsypuje.

– Co ty mówisz?

– Jesteś ślepy i głuchy! Myślisz, że nie wiem o twojej kochance, tato? Nie jestem już małą dziewczynką!

Witold skamieniał.

– Dlaczego tak mówisz? Skąd ten atak? – Nadal siedział w fotelu, jednak jego nogi drżały teraz nerwowo.

– Widziałam ją dzisiaj…

– Kogo?

– Mamę.

– I to cię tak zdenerwowało? – spytał podejrzliwie.

– Poszła za twoim przykładem i też sobie kogoś znalazła! – Blanka wyrzuciła to z siebie z wysiłkiem, unikając wzroku ojca.

– Co ty mówisz? Oszalałaś?!

– Nie i nie mów tak do mnie! – krzyknęła ponownie.

– Mama ma kogoś, rozumiesz? I to jest twoja wina, zapamiętaj to! Nie kochałeś jej, zaniedbywałeś i teraz masz! Mam nadzieję, że twoja kochanka jest tego warta! – padły ostre słowa, które trafiały prosto w serce Witolda. – Zniszczyłeś naszą rodzinę, nienawidzę cię za to! – krzyknęła ponownie, wybiegając z domu.

Witold, oniemiały ze zdumienia, jeszcze przez chwilę siedział w swoim fotelu. Po chwili wstał, i gdy okrutne fakty ostatecznie do niego dotarły, poczuł, jak fala złości powoli wypełnia jego wnętrze. Z całych sił rzucił kieliszkiem o podłogę, a następnie butelką o ścianę, wywołując straszny huk. Rozlane wino i rozbite szkło niczego jednak nie zmieniły. Kalina, jak cała reszta jego życia, wymykała mu się z rąk.

Kalina wróciła do domu późnym popołudniem. Psy od razu podbiegły do niej, łasząc się przymilnie. Zwłaszcza Teri był stęskniony.

– A ze mną się nie przywitasz? – Witold nieoczekiwanie pojawił się w korytarzu, tuż przed nią.

– Wystraszyłeś mnie. – Kalina odsunęła się lekko na bok, czując od niego alkohol. – Znowu piłeś? Ciekawe, co powiedziałby na to twój lekarz...

– Zabawne.

– Co takiego?

– Ty chcesz mnie pouczać?

– O co ci chodzi? Jestem zmęczona. – Próbowała wycofać się z korytarza.

– Nie wątpię – mamrotał Witold. – Chwile spędzone z kochankiem musiały cię zmęczyć.

Kalina udała, że tego nie słyszy, wiedziała, że Witold za dużo wypił, a jego ustne zaczepki były tego efektem.

– Idę się położyć, jutro mam ciężki dzień.

– Najpierw odpowiedz, gdzie byłaś.

– Nie muszę ci się spowiadać. Nie pytałam cię, o której godzinie bywałeś u swojej Toli.

– Nie denerwuj mnie. Blanka cię dziś widziała, jak szwendasz się po parku z jakimś gachem! – Jego głos był uniesiony, a twarz wykrzywiona w złości.

– Powiedziała ci, że mnie widziała?

Tak. I co, nie zaprzeczasz?

– Nie – odparła spokojnie.

– Cudownie! – krzyknął na cały dom.

– To i tak nie miało sensu.

– Co?!

– Nasze małżeństwo. Ty od dawna masz kogoś, a ja... cóż, nie planowałam tego.

– Czego?

– Że się jeszcze kiedyś zakocham i że będę szczęśliwa Chcę rozwodu. – Spokojnie spojrzała w jego pełne wściekłości oczy.

– Już ci kiedyś powiedziałem, że nie będzie żadnego rozwodu.

– Nie kocham cię i nie chcę być dłużej twoją żoną, nie jesteś w stanie tego zmienić, to już się stało.

Jej głos wydawał się dziwnie spokojny. Witold nerwowo przeczesywał ręką włosy, a jego twarz wyrażała gniew i zdziwienie.

– A co z naszym dzieckiem? – spytał, zbliżając się do niej powoli.

– Nasze dziecko dorosło i ma własne życie, a już na pewno nie potrzebuje takiego jak to, pełnego fałszu, kłótni i braku miłości. – Jej słowa zabrzmiały jak oskarżenie.

– To ci się nie uda, nie zostawisz mnie tak!

– To ty mnie zostawiłeś dawno temu, gdy pierwszy raz zdradziłeś mnie z tą kobietą, a teraz zejdź mi z drogi!

– rzuciła ostro, odpychając go od siebie, i zdecydowanym krokiem ruszyła w stronę schodów prowadzących na górę.

– Czy nigdy mi nie wybaczysz? – Jego głos niespodziewanie złagodniał, a oczy posmutniały. Kalina zatrzymała się na chwilę i powoli odwróciła głowę, spoglądając na niego swymi smutnymi, zielonymi oczami. Przez chwilę milczała, jakby zaskoczona tym wyznaniem, jednak zdrowy rozsądek szybko do niej powrócił.

– Nie umiem. Nie potrafię ci wybaczyć, Witold – wyszeptała. – Nie kocham cię już… – dodała po chwili, po czym przemknęła szybko schodami w górę. Słychać było tylko zamknięcie drzwi od sypialni i skomlenie psów.

Witold westchnął głośno. Na pozór wydawał się opanowany, jednak gniew palił go od środka.

– Jasna cholera! – zaklął.

Kalina na chwilę wstrzymała oddech. Zdawała sobie sprawę z tego, że Witold jest wściekły, nigdy nie lubił porażek i nie umiał sobie z nimi radzić.

Minęła godzina lub dwie, kiedy do drzwi domu zadzwonił listonosz. Witold niechętnie ruszył w stronę korytarza. W końcu otworzył je z wielkim rozmachem i zaraz potem jego czoło zmarszczyło się w wyraźnym niezadowoleniu.

– Pan Witold Adamowicz? – Młoda twarz listonosza wpatrywała się w Witolda.

– Tak, a o co chodzi?

– Mam dla pana pismo od komornika. – Mężczyzna wyglądał na nieco zakłopotanego.

– Od komornika? Jest pan pewien, że nie z banku? – Głos Witolda załamał się.

– Z tego co pamiętam, to listy z banku już pan odbierał…
I to sporo.

– To nie pana interes. Gdzie mam podpisać? – rzucił
obruszonym tonem.

– Tutaj. – Listonosz wskazał miejsce na zwrotce, a trzęsą-
ca się lekko dłoń Witolda złożyła podpis, pieczętując tym
samym własny wyrok.

– Dziękuję – wymamrotał listonosz i po oderwaniu
zwrotki podał Witoldowi list. – Do widzenia – rzucił szybko i zniknął, skręcając w stronę wyjścia.

Witold ze złością zatrzasnął drzwi i długo przyglądał się
białej, urzędowej kopercie. Westchnął głośno i po chwili
wszedł do kuchni, siadając przy stole. Tajemniczy list spoglądał na niego nieśmiało, w końcu Witold nie wytrzy-
mał i zdecydowanym ruchem rozpruł kopertę. Następnie
wyjął zawartość i powoli rozwinął złożoną kartkę papieru,
by z bijącym sercem zacząć czytać treść listu. Jego twarz
przemiennie to bladła, to czerwieniała. Czytał informację
o czternastodniowym terminie spłaty długu, pod rygorem
zajęcia nieruchomości. W jednej chwili Witold jakby posta-
rzał się o dziesięć lat. Żałował, że za plecami Kaliny i Blanki
wdał się w ten nieszczęsny interes, że zaryzykował doro-
bek jego rodziców i własne dziedzictwo w imię zachcianek
i niczym niepokrytej obietnicy szybkiego bogactwa. Nigdy
nie liczył się z niczym ani z nikim i teraz zaczynał płacić
za to ogromną cenę.

Po chwili, gdy emocje opadły, zwinął pismo i wsunął
z powrotem do koperty. Podszedł do starego kredensu
stojącego w salonie, tuż obok kuchni, i sprytnie schował nieszczęsne pismo do szafki, wsuwając je pod stertę

koronkowych obrusów. Nie chciał, by prawda wyszła na jaw, zupełnie jakby mogło to coś zmienić. Po chwili sprzątnął leżące w kuchni potłuczone szkło i wyszedł na taras, nabierając głęboko powietrza. Obserwując go, jak stoi spokojnie zanurzony w promieniach słońca, trudno byłoby domyślić się, że to człowiek przegrany.

Blanka siedziała w fotelu jak dziwny, zastygły posąg, uporczywie wpatrując się w jeden punkt. Toni siedział naprzeciwko niej, bezskutecznie usiłując dociec powodu jej rozpaczliwego smutku.

– Czy powiesz mi wreszcie, o co chodzi? Czy ktoś umarł? – Jego niebieskie oczy szukały jej spojrzenia.

– Niezupełnie… – wyszeptała w końcu.

– No, wreszcie – odetchnął z ulgą. – Zamartwiałem się o ciebie.

– Niepotrzebnie.

Jak to?

– Właśnie dowiedziałam się, że moja mama ma kochanka, a moi rodzice… chyba nigdy się nie kochali, po prostu mieszkali ze sobą i tyle – wyznała smutno, spoglądając na strapionego chłopaka.

– Blanka, to jeszcze nie koniec świata, chyba podejrzewałaś, że coś jest nie tak między nimi?

– Tak, tyle że nie sądziłam, że to wydarzy się naprawdę. Wiem, że mama nie była szczęśliwa z ojcem, ale… w końcu to moi rodzice.

– No tak, rozumiem cię. – Toni wstał, tym samym zbliżając się do Blanki.

– Myślisz, że to ma jakiś sens?

– Ale co?

– No… małżeństwo. Może to się po prostu nie sprawdza? – spytała, przenikając zielenią swego spojrzenia jego błękitne oczy.

– Czasem się sprawdza, czasem nie, to zależy od ludzi, od tego, czy naprawdę chcą być ze sobą, zwłaszcza gdy jest źle.

– Obiecaj, Toni, że ty nigdy mnie nie okłamiesz. – W jej oczach tlił się żal i zmartwienie.

– Obiecuję, choćby nie wiem co, a teraz zapraszam cię na przejażdżkę, co ty na to? To poprawi ci humor.

– Chyba nie mam ochoty, nie dam rady.

– A na spacer po łąkach i lesie? – uśmiechnął się do niej czule, obejmując swym ramieniem.

– Zastanowię się – odwzajemniła jego uśmiech. – Wiesz, ja… czy mogę dziś spać u ciebie? Nie chcę wracać do domu. – Jej głos brzmiał niepewnie, z nadzieją wyczekiwała odpowiedzi.

– No jasne, ale lepiej zadzwoń i powiedz, że tu jesteś, inaczej policja obudzi nas wcześnie rano. – Szturchnął ją delikatnie w ramię.

– Masz rację. I za to cię cenię.

– A ja miałem nadzieję, że mnie kochasz. – Toni spojrzał w jej piękne oczy i zamknął jej usta w pocałunku.

– Wszystko w swoim czasie – uśmiechnęła się przekornie. – To chodźmy już na ten spacer.

Rytmiczny szum lasu wtórował śpiewom ptaków, wyciszając pełne niepokoju myśli Blanki. Toni trzymał ją mocno za rękę i co chwilę przytulał do siebie, okazując w ten sposób swą bliskość i wsparcie.

– Jak tu pięknie... – zachwycała się otaczającą ich zewsząd przyrodą i co chwilę przymykała oczy, by nabrać głęboko powietrza.

– To ty jesteś piękna.

– Serio?

– Serio.

– Dziękuję, że jesteś ze mną i mnie wspierasz, masz w sobie tyle empatii.

– Piękny kwiat dla pięknej dziewczyny! – zawołał wesoło.

– Poczekaj tu na mnie, zaraz wrócę, tylko coś zerwę dla ciebie! – dodał, idąc szybko przed siebie. W dali dojrzał kwit nące trawy i ponad wszystko zapragnął podarować kilka Blance. Miał nadzieję, że tym romantycznym gestem zyska jej większą przychylność.

Tymczasem Blanka stała samotnie pośrodku leśnej drogi, wypatrując jego wysokiej sylwetki.

– Już idę, zaraz będę! – zawołał wreszcie, wynurzając się z gęstwiny leśnych krzaków.

– No, wreszcie. – Na jego widok uśmiechnięta twarz Blanki zaróżowiła się.

Nagle, zupełnie niespodziewanie, z dali zaczęły dobiegać do niej dziwne krzyki, a chwilę później usłyszeli stukot końskich kopyt i głośne, dzikie charczenie. Blanka gwałtownie obróciła głowę, a jej twarz w sekundę przybrała wyraz strachu i przerażenia. Idący do niej ścieżką Toni zaczął przeraźliwie krzyczeć.

– Blanka, uciekaj! Zejdź na bok! Blanka!

Spłoszony przez stado dzików koń, wcześniej ścigany przez grupę jeźdźców, zbliżał się gwałtownie do zakrętu. Nagle jego silna sylwetka pojawiła się na ścieżce. Zaskoczona i sparaliżowana strachem Blanka nie zdołała uciec. Jej twarz pobladła, a usta zdołały tylko krzyknąć z przerażenia.

– Blanka! – Biegnący do niej Toni widział tylko, jak nieudolnie próbowała zasłonić się rękami, gdy galopujący koń uderzył ją z całej siły kopytem, odrzucając tym samym jej bezwładne ciało na ziemię. Narowisty rumak minął go w sekundę, a z każdą chwilą stukot jego kopyt i głośne charczenie cichły. Blanka leżała bez ruchu, z rękami tuż przy twarzy. Jej ciało wydawało się teraz niezwykle kruche i bezbronne. Toni był już przy niej.

– Wszystko będzie dobrze… Wszystko będzie dobrze! – powtarzał jak w amoku, a trzęsącymi się nerwowo dłońmi próbował wybrać numer na pogotowie. Po chwili zza zakrętu wyłoniło się kilku jeźdźców ścigających zbiegłego konia.

– Nic wam nie jest? – krzyknął ktoś z grupy.

– Nie wiem… Nie wiem… Moja dziewczyna jest ranna, nie zdołała uciec… – Toni wyglądał na przerażonego.

– Nie ruszaj jej! – zawołał wysoki mężczyzna i natychmiast zeskoczył z konia. – Może mieć wstrząs albo złamania kości. Dzwoń po pogotowie.

– Cholera, ale nikt tam nie odbiera! – krzyczał nerwowo Toni.

– Okej, ja spróbuję. – Mężczyzna wraz z przyjaciółmi wydawał polecenia.

– Rafał, ty jedź szukać Orfeusza, oby nie uciekł za daleko.

– Jasne, już się robi – odpowiedział jeździec. Był to smukły, wysportowany, młody chłopak, syn współwłaściciela stadniny. – Powiadomię naszych o wypadku, może dotrą tu przed karetką.

– Dobry pomysł – podjął ktoś z grupy.

– Boże, ona krwawi! – Toni czuł, jak jego ciało dygocze.

– Gdzie jest to cholerne pogotowie?!

– Uspokój się – odparł mężczyzna. – Pomożemy jej sami, czas nagli. Wsiadam na konia i pędzę po samochód, sami zawieziemy ją do szpitala.

– Ale nie mieliśmy jej ruszać – panikował Toni.

– Chcesz tu czekać, aż się wykrwawi?

Toni pokręcił głową, a jeździec po chwili zniknął wśród leśnych drzew. Toni usiadł tuż przy Blance i delikatnie chwycił jej dłoń, głaszcząc ją i całując.

Kalina właśnie schodziła do kuchni, gdy niespodziewanie zadzwonił telefon.

– Pani Adamowicz? – w słuchawce zabrzmiał nieznany jej kobiecy głos.

– Tak, słucham?

– Dzwonię ze szpitala okręgowego. Pani córka, Blanka, jest u nas, miała poważny wypadek.

– Jaki wypadek? – Kalina zamarła z przerażenia.

– Stan pani córki jest ciężki, proszę natychmiast przyjechać do szpitala, przepraszam, ale muszę już kończyć. – Kobieta przerwała rozmowę, a Kalina wypuściła telefon z ręki, czując, jak kręci jej się w głowie i robi słabo.

– Witold! Witold! – Wbiegła do kuchni jak oszalała. – Blanka miała wypadek, natychmiast musimy pojechać do szpitala!

– Ale co się stało? – W jego czerwonych od przepicia oczach pojawił się strach.

– Nie wiem! Ktoś ze szpitala zadzwonił do mnie, że jest z nią źle! Moje dziecko…! – szlochała. – Co się z nią stało?! Nie mogę stracić drugiej córki! – krzyczała, a łzy strumieniami spływały jej po twarzy.

– Jakbyś jej pilnowała, to nic by się nie stało! – Witold nerwowo przemierzał salon.

– Jesteś okrutny jak zawsze! Nienawidzę cię! Słyszysz? Nienawidzę! – Jej wielkie, zielone oczy miotały teraz błyskawice. – Sama tam pojadę, ty i tak nie możesz kierować!

– To przez ciebie piję!

– Jasne… jak zawsze to wszystko moja wina, nie mogę już na ciebie patrzeć, wyprowadzam się stąd jak najszybciej! Gdzie są moje kluczyki od samochodu?

– Jadę z tobą! – rzucił stanowczo, nieudolnie wsuwając na nogi dżinsy.

– Pospiesz się! Jedziemy! – Kalina w popłochu wybiegła z domu, Witold za nią. Bez słowa dotarli na miejsce. Szpitalny parking był pełen.

– Stanę na chodniku, nieważne, najwyżej! Pospiesz się! – krzyczała nerwowo, wychodząc z auta. Oboje wpadli do szpitala jak burza.

– Gdzie ona leży? – dopytywał Witold.

– Nie wiem. – Kalina wciąż szlochała nerwowo. Spytam w recepcji.

Po chwili wjeżdżali windą na górę, na oddział intensywnej terapii.

Blanka leżała w szpitalnym pokoju, gdzie Toni czuwał przy niej. Kalina, zalana łzami, stanęła tuż przy jej łóżku.

– Co się stało? Co z nią? – dopytywała, spoglądając na załamaną twarz chłopaka.

– Szliśmy tylko na spacer – Toni objaśniał nerwowo. – Cofnąłem się na chwilę po kwiat dla niej i nagle zobaczyłem, jak galopujący koń biegnie prosto na nią, nie zdołała uciec.

Kalina chwyciła się za głowę.

– Boże! Czy ona przeżyje?!

– Czekam na lekarza, nie chcą mi nic powiedzieć – odparł, prawie szlochając.

– Ja tam pójdę – zaczął Witold, gdy w tej samej chwili do pokoju wszedł lekarz.

– Państwo Adamowicz?

– Tak, panie doktorze, co z moją córką? – Kalina spojrzała na mężczyznę oczami pełnymi łez.

– Cóż – lekarz westchnął ciężko. – Państwa córka ma zwichniętą miednicę, krwiaka w brzuchu i lekko poranioną twarz, na szczęście jakimś cudem kręgosłup nie został uszkodzony, więc rokowania są dobre.

– Ale ona jest nieprzytomna… – panikowała Kalina.

– Jest w śpiączce farmakologicznej, jutro będziemy ją wybudzać. No i czeka ją operacja.

– Czy to bardzo poważne?

– Chodzi o miednicę, zrobimy wszystko, by wróciła do zdrowia.

– Dziękuję, panie doktorze.

– Nie mnie proszę dziękować, ale ekipie, która przywiozła ją do nas w samą porę.

Kalina spojrzała na przerażonego chłopaka.

– Jesteś przyjacielem Blanki? – Jej oczy wyrażały wzruszenie i wdzięczność.

– Ja… ja jestem jej chłopakiem, mam na imię Toni.

– Chłopakiem? – Na twarzy Witolda malowało się zaskoczenie. – Nie wiedziałem, że ma nowego chłopaka, a ty? – Jego zdziwione spojrzenie przeniosło się na Kalinę.

– A co ty w ogóle wiesz? Nigdy nie interesowałeś się własną córką. Lepiej daj spokój. – Machnęła ręką, wzdychając przy tym ciężko.

Witold zamilkł i choć nie podzielał zdania żony, wolał nie rozstrzygać tej kwestii w obecności innych.

– Zamierzam ożenić się z państwa córką – niespodziewanie oświadczył Toni, wprawiając tym samym obu w osłupienie.

– Jak to? Ożenić? Ona ma dopiero siedemnaście lat. – Witold spoglądał na chłopaka z takim zdziwieniem, jakby nie rozumiał, co ten mówi.

– Ale ja kocham Blankę – próbował wyjaśniać Toni. – Zawsze ją kochałem.

– Myślę, że to nie czas ani miejsce na takie rozmowy – rozważnie wtrąciła Kalina. – Blanka potrzebuje teraz spokoju, a my go zakłócamy. Myślę, że powinieneś pojechać do domu, Toni, i trochę odpocząć – Zmęczona twarz chłopaka i sińce pod oczami mówiły same za siebie.

– Właśnie, to dobry pomysł – podjął zgodnie Witold.

– Dobrze, pojadę, ale wrócę tu wieczorem.

– Jesteś wspaniałym chłopakiem, lepszego nie mogłabym życzyć mojej córce. – Kalina uśmiechnęła się do niego z wdzięcznością.

– Dziękuję... No to idę, do widzenia.

– Do widzenia – zamruczał Witold, a w jego głosie można było słyszeć nutę zazdrości. Kalina spojrzała na męża w wymownym milczeniu. Witold po chwili wyszedł na zewnątrz, a Kalina została przy Blance. Minęło pół godziny, gdy wyszła na chwilę na korytarz. W tym samym momencie w drzwiach wejściowych ujrzała swą ukochaną teściową, Nasturcję, w asyście małżonka. Kobieta miała na sobie dziwaczny strój przypominający kostium klauna i jak zawsze nastroszoną do granic możliwości fryzurę.

– No tak… mogłam się tego spodziewać. – Jej piszczący głos słyszalny był na całym piętrze. – Co wy robicie z tym dzieckiem? – pytała, wodząc za Kaliną oskarżycielskim spojrzeniem.

– O co mamie chodzi? – Nasturcja była ostatnią osobą, której towarzystwa Kalina chciałaby teraz szukać, a Witold zdążył już oczywiście o wszystkim ją powiadomić.

– To twoja wina, nie pilnujesz własnej córki, a zamiast tego włóczysz się z jakimś gachem po parkach.

– Po co mama tu w ogóle przyszła? – Jej zielone oczy zabłysły gniewem.

– Jak to po co? Do mojej wnuczki – obruszyła się, wzruszając ramionami.

– Blanka leży w pokoju czterysta osiem, tutaj jej nie ma.

– Bezczelna jak zawsze, nie wiem, co mój syn w tobie widział.

– Daj spokój, Nasturcjo – łagodnie powstrzymywał ją małżonek.

– A ty bądź cicho! – przerwała mu gwałtownie. – Powinieneś mnie wspierać!

– Tutaj akurat się z tobą nie zgadzam – odparł spokojnie i skierował swe kroki do pokoju wnuczki. Nasturcja sprawiała wrażenie, jakby miała za chwilę wybuchnąć.

– Moje życie to moja sprawa, mama wybaczy – odparła spokojnie Kalina i odwróciła twarz.

– O nie, moja droga! Tyle lat mój syn utrzymywał was obie, a teraz chcesz go zostawić?

– Nie będę teraz o tym dyskutowała, a jeśli mama chce wiedzieć, to Witold pierwszy mnie zdradził, nigdy nie interesowała go rodzina, wolał obcą babę, więc nie czuję się winna i nie mam zamiaru dłużej kontynuować tej niedorzecznej rozmowy, niech mama lepiej idzie do wnuczki.

– Pójdę, oczywiście, że pójdę! – Nasturcja zmierzyła Kalinę pogardliwym spojrzeniem. Ta z ulgą patrzyła, jak teściowa odchodzi w przeciwną stronę. Nie chciała jej więcej spotkać, na pewno nie dziś. Kalina postanowiła pojechać na chwilę do domu, przebrać się, a potem wrócić do szpitala.

Jadąc samochodem, przypominała sobie, jak cierpiała, gdy straciła Korę i rodziców. Tamten tragiczny wypadek nigdy nie powinien był się zdarzyć, a ona obiecała sobie, że zrobi wszystko, by nie stracić drugiego dziecka. *To Witold miał kierować tamtego nieszczęsnego dnia, jednak wypił kieliszek za dużo, co za ironia losu*, myślała. Los bywa niekiedy taki okrutny i nieprzewidywalny, a człowiek nie ma na to najmniejszego wpływu. Zamyślona, z głową pełną bolesnych wspomnień, po półgodzinie przestąpiła próg domu. W pierwszej kolejności nakarmiła skomlące z głodu psiaki i poszła schodami na górę, by przebrać się w wygodniejsze rzeczy. Przypomniała sobie nagle o swoim ukochanym, dawno nienoszonym dresie.

– Gdzie on może być? – Rozglądając się po sypialni, przypomniała sobie o starym kredensie w salonie na dole. Były w nim te wszystkie rzeczy, na które nie znalazło się miejsce w innych szafkach. Nachyliła się, by zajrzeć głębiej.

– Chodź do mnie, zgubo – szeptała, sięgając po niego na czworakach. Niespodziewanie wraz z dresem z szafki wypadł plik tajemniczych listów.

– A cóż to? – zdziwiona sięgnęła po nie i natychmiast zaczęła przeglądać. Listy wyglądały na urzędowe. – Z banku? Dlaczego są tutaj schowane? Co to u licha znaczy? – Zaniepokojona zajrzała do środka pootwieranych kopert. Szybko zaczęła przeglądać ich treść. Ponaglenia z banku? Jej twarz w miarę czytania stopniowo bladła, a nogi miękły w kolanach. – Hipoteka na dom? – czytała na głos, nie dowierzając temu, co widzi. Jednak najgorsze pismo miała dopiero przeczytać.

– Od komornika... – czytała cicho. – Informujemy, że wdrożono procedurę zajęcia Pana nieruchomości, położonej... czternastu dni spłaty długu... – jej usta powtarzały te słowa przez dłuższy czas, do chwili, gdy usłyszała trzask drzwi wejściowych. Pojęła, że ten wspaniały dom nie należy już do nich. Ciężkie kroki Witolda słyszalne były w całym domu.

– Dlaczego na mnie nie poczekałaś? Musiałem wracać taksówką – mamrotał niezadowolonym głosem.

Kalina milczała, spoglądając na niego zabójczym, pełnym wyrzutu wzrokiem.

– Co to ma znaczyć? – spytała z poważnym wyrazem twarzy, pokazując mu plik znalezionych listów. Witold pobladł, zmieszany do granic możliwości. Unikał jej wrogiego spojrzenia.

– Nie chciałem cię denerwować – rzucił, udając obojętność.

– Denerwować? Co ty mówisz?! Straciłeś dom, nie mamy nic, i zamiast mi coś powiedzieć, ty chowasz listy po kątach jak mały, wystraszony chłopiec? – Patrzyła na niego z niedowierzaniem. – Jak mogłeś do tego dopuścić?!

– No dobrze... Dałem plamę... Źle zainwestowałem pieniądze.

– Czy ty słyszysz samego siebie? Jak mogłeś? Za chwilę nie będziemy mieli gdzie mieszkać! Nie mamy oszczędności, nic!

– Ale mamy siebie – burknął od niechcenia.

– Nie, Witold! – krzyknęła. – Ty masz swoją Tolę. Nie ze mną uzgadniałeś te inwestycje, nie ze mną konsultowałeś swoje poczynania, gdy stawiałeś naszą przyszłość na szalę własnych zachcianek! Nigdy cię nie zrozumiem... – W jej oczach pojawiły się żal i rozczarowanie. Witold posępnie spuścił wzrok.

– To już koniec – dodała po chwili milczenia. – Nie mogę mieszkać pod jednym dachem z kłamcą, pakuję się i wyprowadzam.

Witold spojrzał na nią zagniewanym wzrokiem.

– Idziesz do swojego kochasia?

– Nazywaj go jak chcesz, nie jesteś w stanie zmienić mojego uczucia do niego. Urwała nagle. – Lepiej zacznę się pakować, nie ma sensu przedłużać tej rozmowy.

– Uciekasz z tonącego statku! Jak jakiś szczur! – Jego oskarżycielski ton tylko upewnił Kalinę co do słuszności podjętej decyzji. Odwróciła się powoli w jego stronę i spojrzała na niego z ubolewaniem, a na jej twarzy pojawiła się litość.

– To ty jesteś na tonącym statku, nie ja. Żal mi cię, Witold, i żal mi twoich rodziców, gdy dowiedzą się prawdy.

– Nic im nie powiesz! Nie wolno ci! – zagroził.

– Nie mam takiego zamiaru, sam musisz wypić piwo, którego nawarzyłeś.

– A co z Blanką? Pomyślałaś o niej?

– A ty myślałeś o swojej córce, gdy oddawałeś jej przyszłość w zastaw bankowi? Jesteś naprawdę żałosny i, co gorsze, już nigdy się nie zmienisz. A Blanka jest już dorosła i kiedyś mnie zrozumie. – Odwróciła się na pięcie i głęboko oddychając, ruszyła schodami na górę.

Witold patrzył za nią w milczeniu. Nie mógł zauważyć, jak jej dłonie trzęsły się nerwowo. Kalina czuła, że coś nieuchronnie się zmienia, że od dawna nie jest już częścią jego życia ani tego domu. Powoli weszła do sypialni i zamknęła za sobą drzwi. Stanęła pośrodku i próbowała przypomnieć sobie, gdzie schowała walizki. Ostatecznie znalazła je w starej, rattanowej szafie na korytarzu. Od dawna nikt ich nie używał, a ona sama nie pamiętała, kiedy wspólnie z Witoldem byli gdzieś razem.

– Przeszłość. To już przeszłość – powtarzała cicho te słowa, chowając do walizek najpotrzebniejsze rzeczy. Tak naprawdę wszystko tutaj należało do Witolda, ograniczyła się więc do swoich ubrań, tak by miała się w co ubrać do pracy i na co dzień. Na końcu wrzuciła do walizki wspólne zdjęcie z Blanką, niczego więcej nie pragnęła ze sobą zabrać. Witold nawet nie zaszczycił jej spojrzeniem, gdy mijała go na korytarzu, nic nie odpowiedział na słowo „żegnaj". Kalina kochała ten dom, urządzała go pieczołowicie przez wiele lat, to ona nadała mu charakter i duszę, jednak teraz nie czuła żalu, a jednie ulgę, która nadała jej sercu lekkości. Witold stał w oknie i z ponurym wyrazem twarzy przyglądał się, jak Kalina wsiada do samochodu z jedną walizką w ręce. Nagle odwróciła się i zauważyła jego spojrzenie zza firany. Dawniej być może wybiegłby za nią, jednak teraz tylko spojrzał i po chwili zniknął we wnętrzu domu. Kalina powoli weszła do auta. Aż dziw, że pozwolił jej nim odjechać. Przekręciła klucz w stacyjce. Po chwili silnik cicho zawarczał. Nie zdążyła uprzedzić Ratimira o swoich nagłych planach, jednak miała nadzieję, że ukochany przyjmie ją z otwartymi ramionami.

Rude włosy Toli pobłyskiwały złociście w promieniach słońca, kiedy kilka dni później z ciekawością i niepokojem zbliżała się do domu Witolda. Po chwili rozległ się dźwięk dzwonka. Chwilę trwało, zanim Witold wynurzył się zza drzwi. Zarośnięty, zaspany i nieco „wczorajszy", nie wzbudził w swojej kochance namiętnych myśli.

– Witold? To naprawdę ty? – usłyszał od progu jej głęboko rozczarowany głos. Ten mężczyzna w niczym nie przypominał dumnego dyrektora banku.

– A co? Aż tak się zmieniłem?

– Nie... Źle się czujesz? Kiepsko wyglądasz...

– Wyglądam tak, jak się czuję – skwitował krótko. – Czego chcesz? – spytał opryskliwie.

– Jak to? Dlaczego tak do mnie mówisz? I dlaczego, na litość boską, tak zdziadziałeś?

– Daj mi spokój, kobieto, jestem chory... – wymamrotał pod nosem.

– Właśnie czuję... I to bardzo czuję – dodała po chwili, przysuwając do nosa swoją pulchną dłoń. – Kiedy ostatnio się kąpałeś? Nie wpuścisz mnie do środka?

– Nie, nie mogę, mam bałagan.

– Czy ty piłeś, Witold? – Zaskoczone oczy Toli wpatrywały się w niego z uporem.

– A nawet jeśli, to co?

– Myślałam, że chcesz wrócić do zdrowia, do pracy, ale widać się pomyliłam.

– Widać tak, a to, czy piję, to moja sprawa i nic ci do tego.

– Cham – rzuciła krótko. – Bardzo się mylisz, jeszcze pożałujesz, że mnie tak potraktowałeś.

– A co mi zrobisz? Zwolnisz mnie? – Spojrzał na nią ironicznie.

– Nikt nie będzie mnie tak traktował, pożałujesz tego!

– A daj mi wreszcie spokój – rzucił gniewnie i zatrzasnął jej drzwi przed nosem. Odejście Kaliny z domu ostatecznie przechyliło szalę i zburzyło jego równowagę. Sprawiło, że gniew narastał w nim tak samo silnie, jak niechęć do kobiet. Jego męska duma nie potrafiła pogodzić się z taką porażką.

– Pożałujesz! – krzyknęła Tola urażona. – Wszyscy się dowiedzą, jak wracasz do sił, już ja się o to postaram!

Rozgniewana zeszła schodami w dół, prosto do swojego samochodu. Emocje aż gotowały się w jej wnętrzu.

– Co za dupek! – dodała, przekręcając kluczyk w stacyjce. Silnik natychmiast zawarczał, a ona pojechała prosto do banku. Nie spodziewała się po Witoldzie takiego traktowania i, upokorzona, miała wielką ochotę pokazać mu, gdzie raki zimują.

Nastał wieczór, gdy Kalina wracała od Blanki ze szpitala. Z walizką w bagażniku kierowała się na osiedle Słoneczne, na którym mieszkał Ratimir. Miotana burzą emocji zastanawiała się, czy właściwie postępuje, czy nie lepiej byłoby w tej sytuacji zatrzymać się w hotelu? Czy Ratimir nie uzna tego za natarczywość z jej strony? Pełna obaw zaparkowała tuż przed jego blokiem. Z bijącym sercem wyszła z auta, nie wyciągając na razie walizki. A co, jeśli go nie zastanie? Z duszą na ramieniu pokonywała kolejne schody i piętra budynku.

To tutaj, pomyślała i cicho zapukała do drzwi. Cisza, nikt nie otwiera. Spróbowała ponownie. Ponownie cisza. Kalina bezradnie westchnęła.

– Nie ma go – wyszeptała zmęczona i głodna. Marzyła, by usiąść wygodnie w fotelu i wtulić się w jego silne ramiona. Ostatni raz podjęła próbę i zapukała, jednak wciąż nikt jej nie otwierał. Zrezygnowana zaczęła schodzić w dół. Na zewnątrz szarzało, a ona nie miała pojęcia, co teraz będzie. Ze smutkiem w oczach rozejrzała się wokoło, przecież Ratimir powinien być w domu, wiedziała, że dziś pracował krócej. Od kiedy między nimi zrodziło się uczucie, dzwonili do siebie codziennie. Zdenerwowana ruszyła w stronę samochodu. Na szczęście po chwili usłyszała jego głos.

– Kalina?

Natychmiast odwróciła się z oczami pełnymi łez.

– Szukałam cię, gdzie byłeś? – spytała nerwowo, szybko wycierając ręką twarz.

– Byłem w sklepie, co ty tu robisz?

– Właśnie odeszłam od męża, pomyślałam, że... może...

– Czy chcesz mi powiedzieć to, o czym myślę?

– Nie wiem, ale... czy mogę na razie zatrzymać się u ciebie?

– Mówisz serio?

Wiem, że to bez zapowiedzi i możesz się nie zgodzić...

– Żartujesz? Kalina, to cudownie! Tak się cieszę!

– Naprawdę? – Patrzyła na niego z niedowierzaniem, a jej twarz nagle się rozpromieniła.

– No pewnie, ale pod jednym warunkiem. – Spojrzał na nią poważnie.

– Jakim? – spytała niepewnie.

– Że to ja będę gotował.

– Ach... zgadzam się bez słowa sprzeciwu! – zawołała i bez zastanowienia rzuciła się w jego ramiona.

Lato złagodniało, przynosząc wytchnienie od długotrwałych i męczących upałów. Kalina dwa razy dziennie zaglądała do Blanki, za każdym razem spotykając Toniego. Jechała do niej wcześnie rano przed pracą i zaraz po niej. Lekarze dawali Blance dobre rokowania, a przeprowadzona niedawno operacja miednicy powiodła się. Dziewczyna powoli wracała do sił, a Kalina do równowagi.

– Mamo, a co z ojcem? On w ogóle mnie nie odwiedza... – Głos Blanki wydawał się przygaszony. Kalina nie przyznała się do przeprowadzki, nie chcąc denerwować córki. Postanowiła, że dopóki Blanka nie wróci do pełni sił, nic jej nie powie.

– Wszystko dobrze, wiesz, jaki jest ojciec... Martwi się o ciebie.

– Naprawdę?

– Oczywiście, po prostu ostatnio nie czuje się dobrze.

– A co mu jest?

– Musi odpoczywać, ale na pewno cię wkrótce odwiedzi, zobaczysz – odparła, hamując w myślach swój gniew. *Co za drań*, myślała, kłamiąc nieudolnie.

– Ja się nią zajmę – podjął Toni. – Niech pani się nie martwi, zaopiekuję się Blanką.

– Wiem, Toni, dobry z ciebie chłopak, dziękuję.

– Lekarze mówią, że niedługo może wyjdę ze szpitala.

– To wspaniale. – Kalina poczuła ulgę.

– Czy Blanka będzie mogła zamieszkać ze mną? – zaczął niespodziewanie.

– Z tobą? Ale jak to? Przecież ona jest niepełnoletnia i musi się uczyć! Nie, to niemożliwe.

– Mamo, proszę cię. My się kochamy. – Blanka spoglądała na nią swymi wielkimi, zielonymi oczami, dla których Kalina zdołałaby uczynić wszystko. Tym razem jednak sytuacja ją przerastała.

– Chcemy się pobrać, jak tylko Blanka skończy szkołę.

– Ale dlaczego tak szybko? Dziecko, całe życie przed tobą. Miałaś pójść na studia, poznawać świat...

– Przecież jedno drugiemu nie przeczy – wtrącił Toni.

– Przeczy, i to bardzo. Małżeństwo to nie zabawa, to obowiązki i wspólne życie, do którego nie jesteście przygotowani.

– Ty też wcześnie wychodziłaś za mąż – wtrąciła Blanka, z wyraźnie niezadowoloną miną.

– To była inna sytuacja, inne czasy. Jak skończysz szkołę, to wrócimy do tej rozmowy.

– Bo byłaś w ciąży? To miałaś na myśli?

– Tak, dziecko. I nie mówię, że tego żałuję, bo tak nie jest, ale... życie czasem weryfikuje nasze plany. Rzuciłam studia, poświęciłam się rodzinie, jednak dziś, z przykrością to stwierdzam, nikt tego nie docenia ani o tym nie pamięta, dlatego chcę ci powiedzieć, żebyś w życiu myślała perspektywicznie i nieco egoistycznie.

– Ale tak się nie da.

– Wiem, ale można spróbować. Toni, jesteś wspaniałym chłopakiem, ale musisz też pomyśleć o życiu Blanki, o jej potrzebach. Na tym właśnie polega bycie razem.

– Czy dlatego nie jesteś szczęśliwa z ojcem? Bo on taki nie był? Dlatego masz kogoś? – Oczy Blanki spoglądały na Kalinę łagodnie, kryjąc w sobie pokłady nieuchronnie zbliżającej się dorosłości.

– Widzisz, dziecko... Ja nie planowałam być z kimś innym, nie myślałam o tym, jednak moje życie tak się ułożyło, a z twoim ojcem...

– Nie jest łatwo żyć, tak, wiem to...

– Wybaczysz mi?

– Ale co, mamo?

– To, że rodzina, w której powinnaś znaleźć oparcie, rozpadła się.

– Kochasz tego mężczyznę?

– Tak, bardzo.

– Skoro jesteś szczęśliwa, mamo... Wiem, że nie zdradziłaś taty ot, tak sobie, to on ponosi winę. Przecież wiem, że cię zdradzał.

– Och, córeczko... – Kalina chwyciła dłoń Blanki. – Bardzo bym chciała, byś była w życiu szczęśliwa.

– Będę, mamo, zobaczysz. Będę.

– Więc pomyślisz nad tym wszystkim?

– Pomyślę, obiecuję. – Na twarzy Blanki pojawił się uśmiech, a Kalina poczuła niewysłowioną ulgę. Jak nigdy przedtem obie zaczynały się rozumieć i wspierać wzajemnie niczym dwie przyjaciółki.

Drewniana podłoga mocno zaskrzypiała, gdy Witold podniósł się z fotela. Ktoś uparcie dzwonił do drzwi, a on nie miał ochoty na kolejną niespodziewaną wizytę. Marudząc pod nosem, ruszył w kierunku korytarza. Drzwi lekko zapiszczały. Witold nawet nie skojarzył, że od dawna wymagają naoliwienia. Poprawiając niedbałym gestem rozmierzwione włosy, szeroko otworzył drzwi.

– Pan Witold Adamowicz? – Głos młodej kobiety brzmiał nader służbowo. Druga, ubrana w granatowy żakiet i czarną spódnicę do kolan, milczała, przyglądając się mu uważnie.

– Tak, a o co chodzi?

– Kontrola. Chcemy sprawdzić, czy prawidłowo wykorzystuje pan zwolnienie lekarskie.

– Jak to? Co to za bzdury?

– To nie bzdury, proszę pana, oto nasze legitymacje, czy możemy wejść? – spytały. Zapach alkoholu wydobywający się z ust Witolda wyczuwalny był od samych drzwi.

– Nie! Nikogo nie wpuszczam, jestem po zawale i nie muszę wysłuchiwać takich rzeczy. Co to za szopka?

– Czyli odmawia pan?

– Tak, i to zdecydowanie.

– Rozumiemy… To nam chyba wystarczy, w takim razie do widzenia.

– Żegnam! – odparł ostro i z hukiem zatrzasnął za nimi drzwi.

Kobiety stały jeszcze przez chwilę pod domem, skrzętnie notując coś w swoich notesach, a później ruszyły w stronę samochodu.

– Coś takiego – wycedził. – Jestem dyrektorem banku. Na litość boską, co to miało znaczyć?

Oburzony, nerwowo przechadzał się po domu, po czym w końcu postanowił wziąć prysznic. Jednak nie był to koniec wizyt tego dnia. Godzinę później Witold miał wątpliwą przyjemność rozmawiać z komornikiem i biegłym sądowym. Chcąc nie chcąc, musiał obu wpuścić do domu, gdyż mężczyźni wykazali się bankowym nakazem egzekucji. Pragnąc uniknięcia wizyty policji, Witold robił dobrą minę do złej gry. Chudy i wysoki jegomość w garniturze robił zdjęcia domu, drugi opisywał nieruchomość, próbując określić jej aktualną wartość. Tylko psiaki Teri i Skot leżały obojętnie, wpatrując się w swego pana.

– Ładny dom – zaczął szczupły, szpakowaty mężczyzna, rozglądając się z ciekawością dokoła. – I co za widok! Niesamowite… – dodał po chwili, spoglądając na sporych wielkości taras. Witold przez chwilę miał ochotę strzelić mu w pysk, jednak świetnie wiedział, że tylko przez własną głupotę znalazł się w takim położeniu.

– Nie żal panu takiego domu? – wtrącił ten drugi, nieco tęgawy. Witold milczał przez chwilę, ignorując zaczepki.

– Długo to jeszcze potrwa? – zapytał, spoglądając z niecierpliwością na zegarek.

– Już niedługo.

– Świetnie, zatem niech panowie kontynuują – stwierdził, choć najchętniej cofnąłby czas i zrobił wszystko, by odzyskać swoje dawne życie. Obserwując, jak obcy ludzie wkraczają na jego terytorium, pojął, jak wiele traci i jak wielkie głupstwo popełnił.

– Dziękujemy – odparł po dłuższej chwili grubawy jegomość, mrugając znacząco do tego drugiego.

– To ten dyrektor banku – wyszeptał mu na ucho, gdy Witold zniknął w drzwiach korytarza. – Zobacz, jak skończył – dodał z ubolewaniem. Po chwili zwrócił się do Witolda, który przyglądał się im z daleka.

– Dom zostanie wystawiony do licytacji, zapewne świetnie pan o tym wie.

– Rozumiem, nie sądziłem tylko, że tak szybko się zjawicie, sądziłem, że jeszcze mam czas.

– Proszę mi wierzyć, zjawiamy się już w ostatniej chwili.

– Jasne. – Witold mocno zacisnął szczęki. Wolał milczeć, niż powiedzieć za dużo. Zresztą i tak niczego by to nie zmieniło. Biegły sądowy jak gdyby nigdy nic wyszedł na taras i tam również robił zdjęcia.

– Piękny dom. Myślę, że szybko się sprzeda – skwitował z zadowoloną miną, wracając po chwili do salonu.

– To się okaże – wyszeptał cicho Witold. Spoglądał na fotografowane przez nich miejsca i rzeczy. Z każdą chwilą coraz bardziej docierało do niego to, że niedługo bank przejmie jego dom i zamieszka w nim ktoś inny, a on bez słowa będzie musiał go opuścić. Pomyślał teraz o Kalinie.

To ona urządzała w nim każdy zakątek, dbała o niego i dopieszczała. Nadała mu życie, stworzyła przyjazną i domową atmosferę, tylko on, głupiec, wcześniej tego nie dostrzegał. Był ślepy? Obojętny? Zapracowany? Chory? Nie potrafił jednoznacznie odpowiedzieć na żadne z tych pytań. Zrozumiał, jak wiele w życiu stracił, jak wiele nie dostrzegał. O, ironio losu! Dopiero krzątanie się po domu tych dwóch obcych mężczyzn w służbowych garniturach pomogło mu uświadomić sobie, jak bardzo utonął w swych egoistycznych pobudkach i jak bardzo brak mu rodziny. Stojąc samotnie na korytarzu, oparty o białą, zimną ścianę, pojął, jak wielkie głupstwo popełnił, pozwalając odejść Kalinie. W swojej wspaniałomyślności gotów był nagle wszystko jej wybaczyć, nawet zdradę, byleby tylko wróciła do niego i dalej zechciała być jego żoną.

Blanka powoli wracała do sił i w przyszłym tygodniu miała zostać wypisana ze szpitala.

– Kiedy masz zamiar powiedzieć córce prawdę? – Ratimir obserwował krzątającą się po kuchni Kalinę.

– Nie wiem, będę musiała to w końcu kiedyś zrobić, przecież zamieszka z nami.

– O ile będzie chciała…

– Jak to? – Zmarszczyła czoło, podczas gdy on stał przy oknie i spoglądał gdzieś daleko przed siebie.

– Musisz wziąć pod uwagę to, że twoja córka jest już prawie dorosła, lubi być niezależna i ma chłopaka.

– Przede wszystkim wciąż jest niepełnoletnia, nie pracuje i dopóki się nie usamodzielni, zostanie pod moimi skrzydłami.

– A jeśli wybierze swojego ojca?

– Witolda? – spytała z niedowierzaniem. – Nie sądzę, zawiódł ją. Co innego Toni.

– Chcę tylko przygotować cię na taką możliwość.

– A mi się wydaje, że chcesz mnie zdenerwować.

– Nieprawda, źle to odbierasz.

– No nie wiem… W takim razie przestań snuć te rozważania. I tak jestem wystarczająco podenerwowana.

– Boisz się własnej córki?

– Nie, ale Blanka ma dość trudny charakter, potrafi być nieprzewidywalna i wyjątkowo uparta – westchnęła, uśmiechając się. – No i znowu się zakochała.

– Kochanie, ona jest prawie dorosła i mam nadzieję, że zrozumie to, co się stało, że masz prawo do własnego szczęścia.

– Wiem, ale będzie się upierała, by zamieszkać z Tonim, i tego boję się najbardziej – odparła, podchodząc do okna.

Ratimir zbliżył się do niej, objął ramieniem i pocałował.

– Rozumiem twoje obawy, ale jeśli zrobisz coś wbrew jej woli, znowu możesz ją stracić.

– Wiem. I to jest najgorsze – wyszeptała, spoglądając ze smutkiem w okno.

Nastał piątek i po porannym obchodzie lekarz potwierdził, że Blanka dziś wychodzi do domu. Kalina starannie uszykowała pokój dla córki, pragnęła, by się jej spodobał. Miała wielką nadzieję na to, że Blanka zamieszka z nią i Ratimirem. Witold od dawna nie odwiedzał córki i nie dawał żadnych znaków życia.

Toni przesiadywał w szpitalnym pokoju już od rana, pielęgniarki już dawno pogodziły się z faktem, że niełatwo go stąd przepędzić. A że sprawiał przyjazne wrażenie, to z uśmiechami na twarzach znosiły jego ciągłą obecność. Blanka z radością pozbyła się znienawidzonej szpitalnej piżamy. Z radością zakładała na siebie ukochane dżinsy i długą, bawełnianą bluzkę, znowu czując się jak dawniej. Była już prawie gotowa do wyjścia, gdy w drzwiach pokoju pojawiła się Kalina.

– Och, jesteś już gotowa, kochanie... Masz swój wypis? – Spojrzała na córkę ze wzruszeniem.

– Tak, Toni wszystkiego dopilnował.

– Fajnie. No to co? Jedziemy?

– Jak to: jedziemy? Ja jadę z Tonim, przecież ci mówiłam.

– Owszem, mówiłaś, ale ja się na to nie zgodziłam.

– Trudno, mamo, ja nie zmienię zdania – odparła stanowczo.

– Posłuchaj, Blanka, muszę ci coś wyznać… – zaczęła Kalina, spoglądając ukradkiem na Toniego.

– Toni może zostać, nie mamy przed sobą tajemnic.

– Rozumiem, ale to sprawa tylko między nami. – Jej głos wyrażał skrępowanie.

Toni, wyczuwając niezręczność sytuacji, zachował się odpowiednio.

– Rozumiem – zaczął wesoło. – Pójdę się przejść korytarzem, zaczekam tam na ciebie.

Blanka miała zachmurzoną minę.

– Więc co chciałaś mi powiedzieć, mamo?

Kalina przez chwilę milczała, jakby zbierając się na odwagę. Westchnęła głośno i poprawiając nerwowym ruchem ręki włosy, zaczęła mówić:

– Nie mieszkam już z twoim ojcem, wyprowadziłam się.

– Jak to? Kiedy? – Zielone oczy Blanki przygasły.

– Już jakiś czas temu, nie mówiłam ci, bo nie chciałam cię martwić.

– Mamo, przecież ja się tego domyślałam, ojciec wcale mnie nie odwiedzał, czułam, że znowu się coś wydarzyło.

– Widzisz, Blanka, ja zamieszkałam z kimś…

– Z tamtym mężczyzną z parku?

Blanka przyglądała się jej uważnie.

– Tak, ma na imię Ratimir.

– Rozumiem. To twoje życie, mamo, a ja mam swoje.

– Jak mam to rozumieć?

Zielone oczy Blanki spoglądały na nią teraz buntowniczo.

– Zamieszkam z Tonim i nawet ty nie zmienisz mojego zdania.

– Nie masz nawet osiemnastu lat, dziecko!

– Mamo, kocham cię, ale nie będę mieszkała z jakimś obcym mężczyzną, a z ojcem też nie chcę się męczyć.

Kalina czuła, że działając na siłę, może jedynie stracić kontakt z córką.

– Będę się strasznie zamartwiała o ciebie. Gdzie zamieszkacie? – spytała po chwili ciepłym tonem, z trudem skrywając swoje rozczarowanie i żal.

– Toni rozmawiał już ze swoim ojcem. Pozwolił nam być razem.

– A jeśli jednak się na to nie zgodzę?

– Wiesz, że i tak do niego ucieknę. Czy nie lepiej zostawić sprawy takimi, jakie są?

– Mądrala z ciebie.

– Po prostu dorosłam.

– Nawet nie wiem, kiedy to się stało.

– Czy to ważne? Moje i twoje życie się zmienia, i to jest cudowne – oznajmiła z uśmiechem na ustach.

– Chcę, byś poznała Ratimira. Daj mu szansę, proszę.

– Dobrze, pomyślę nad tym. Wiesz, mamo, że ojca wyrzucili z pracy?

– Co? Nie, nic nie wiem, ale dlaczego? – Kalina spoglądała na córkę z niedowierzaniem.

– Wczoraj była u mnie babcia. Podobno miał jakąś kontrolę z pracy i zarzucają mu, że był pod wpływem alkoholu na chorobowym. Dostał wypowiedzenie natychmiastowe.

Kalina spuściła głowę.

– W to akurat jestem skłonna uwierzyć. Ostatnio nie stronił od kieliszka.

– Wiem też o domu… Dlaczego nic mi nie powiedziałaś? – Blanka spoglądała na nią niemalże oskarżycielsko.

– A co miałam zrobić? Dodawać ci zmartwień? Ojciec nic mi nie powiedział, sama odkryłam prawdę przypadkiem.

– Straciliśmy dom, prawda? – Twarz Blanki wydawała się teraz niesamowicie dorosła.

– Straciliśmy wszystko, moje dziecko, wszystko… Mamy tylko horrendalnie wysokie długi.

– Egoista, nienawidzę go – szeptała. – Babcia jest załamana.

– Widzisz, dziecko, tak się dzieje, gdy nie ma szczerości ani miłości między ludźmi, gdy nie ufa się sobie wzajemnie, gdy ta druga osoba nie liczy się z nikim ani niczym – wyznała smutno. – W każdym razie… obiecaj mi, że jak coś pójdzie nie tak, to natychmiast do mnie wrócisz.

– Będzie dobrze, mamo. On mnie naprawdę kocha.

– Obiecaj mi.

– Obiecuję – wyszeptała czule.

Po chwili do drzwi zapukał Toni.

– Taksówka przyjechała – wyznał nieco zakłopotany. – Ma zaczekać?

– Już idę – odparła zdecydowanie Blanka. Toni chwycił jej walizkę i ruszył w kierunku drzwi.

Kalina z niepokojem spojrzała na córkę. Wszystko w niej krzyczało, by ją zatrzymać, jednak czując, że może ją jedynie stracić, wolała cicho przełknąć tę matczyną porażkę.

– Zadzwonisz do mnie jak dojedziesz? – spytała z nadzieją w oczach.

– Dobrze, zadzwonię.

– Uważaj na siebie i…

– Odezwę się, mamo.

– Pa, córeczko.

Blanka uśmiechnęła się do niej. Kalina dopiero teraz zauważyła, jak bardzo jej córka wyładniała, przeobrażając się w dorosłą kobietę. Toni wywierał na nią zdecydowanie dobry wpływ.

Stojąc samotnie na szpitalnym korytarzu, słyszała oddalające się szepty ich rozmów i śmiechy. Rozejrzała się spokojnie dookoła, po czym również udała się w kierunku wyjścia. Ze względu na Blankę, Kalina wzięła dzień wolny, jednak teraz nie bardzo wiedziała, co z nim zrobić. Opuszczając szpitalny budynek, z ulgą poczuła, jak pachnące trawą powietrze wypełnia jej płuca. Parking po brzegi wypełniony był samochodami, przez co z trudem odszukała swojego peugeota. Po Blance i Tonim nie było już śladu, a pozostałe samochody były w środku puste, poza jednym. Na końcu parkingu, tuż przy wyjeździe, stał czarny ford. Kalina nie była w stanie zauważyć, kto siedzi za kierownicą. Szczupła sylwetka wskazywała na mężczyznę w średnim wieku, nieco pochylonego do przodu, zakrytego gazetą, wyraźnie ukrywającego swą twarz. Po chwili Kalina minęła go na zakręcie, nieświadoma tego, że ktoś śledzi każdy jej krok.

Wspólne mieszkanie i przebywanie z Ratimirem stało się dla Kaliny czasem spełnienia i spokoju. Jak nikt inny rozumiał jej potrzeby, problemy i smutki, oboje uwielbiali spędzać ze sobą czas, prowadząc nierzadko kończące się dopiero nad ranem rozmowy. Ratimir gotował dla niej śródziemnomorskie potrawy, a ona dbała o ład i estetykę mieszkania, oboje cudownie się w tym dopełniali. Przebywanie z nim pomogło jej pogodzić się z decyzją córki. Kalina uwielbiała słuchać, gdy opowiadał jej o swoim kraju, przez co coraz bardziej pragnęła tam pojechać i go poznać.

– Co dziś ugotujesz? – dopytywała, odkurzając meble w salonie.

– My, Czarnogórcy, stawiamy na prostotę – uśmiechnął się szeroko. – Gotujemy powoli i nieskomplikowanie. Ach, jak mi brakuje moich drzew oliwnych... A właśnie, czy wiesz, że w moim kraju jest pewna tradycja związana z tym drzewem? – spytał, spoglądając na Kalinę przenikliwie.

– Naprawdę? Jaka to tradycja?

– Każdy mężczyzna chcący poślubić swoją wybrankę powinien posadzić przynajmniej dziesięć drzew oliwnych.

– Tak? A ty chcesz kogoś poślubić? – Rzuciła mu figlarne spojrzenie przez ramię.

– Ciebie – bez wahania padła odpowiedź.

– Naprawdę?

– Naprawdę.

– W takim razie nie wiem, skąd weźmiesz te drzewa oliwne.

– Jak to skąd? Musimy tam pojechać, nie ma innej możliwości – tłumaczył z uśmiechem.

– Tęsknisz za swoimi stronami, prawda?

– Czasem nawet bardzo.

– Rozumiem to...

– W dzieciństwie uwielbiałem, jak moja matka robiła ajvar czy sarmę. Pamiętam smak grillowanej cielęciny, kajmaku... Ach...

– Ajvar? Co to takiego?

– No tak, czasem zapominam, że możesz nie znać tych potraw. Matka brała dużą ilość dojrzałej w słońcu czerwonej papryki, oliwę, sól i pieprz. Opiekała paprykę w naszym starym piecu i zdejmowała z niej skórkę. Pamiętam, że nie lubiła tego robić, ale na szczęście miała w sobie sporo cierpliwości. Potem gotowała tę paprykę w wielkim garnku z przyprawami i oliwą tak długo, aż zgęstniała, dla mnie dodawała zawsze pomidory, marchewkę i bakłażany.

– I to dobre jest?

– Bardzo. Mama miała swój rodzinny przepis, pewnie ma go teraz Jelena, moja siostra. A ojciec... – westchnął – robił pyszną rakiję.

– Taką wódkę?

– Tak.

– Masz miłe wspomnienia. Aż ci zazdroszczę – westchnęła głośno, wychodząc na chwilę na balkon.

– A ty takich nie masz? Dlaczego nigdy nie mówisz o swoich rodzicach?

– Bo nie ma o czym... Oboje od dawna nie żyją.

Ratimir podszedł do niej i przytulił mocno. Był ucieleśnieniem jej marzeń, czuły, kochający i przyjazny. *Ideał*, myślała, bojąc się, by to szczęście nie uleciało nagle gdzieś daleko.

– A ty? W jakim mieście mieszkałeś? Nigdy mi o tym nie mówiłeś – zgrabnie zmieniła temat, nie chcąc wracać do bolesnej przeszłości.

– W Budvie. Pamiętam starówkę ogrodzoną murami, mieszkaliśmy niedaleko niej, i zabytkowy kościół z dzwonnicą, stare kamienice, ogródki, w których rosną drzewa granatów, kiwi, fig i mandarynek. Woń ich kwiatów niesie się po całej okolicy. Tego brakuje mi najbardziej – tych zapachów, smaków, powietrza...

– To niezwykłe, nie mam pojęcia, jak wyglądają drzewa figowe.

– Cóż... Trochę są podobne do jabłoni, choć liście mają zdecydowanie inny kształt, owoce stają się najpierw czerwone, a później fioletowe. Zapomniałem wspomnieć jeszcze o święcie ryb, zawsze w październiku piekło się na głównym placu zamku ryby na grillach i rozdawało ludziom za darmo. Wszyscy byli dla siebie serdeczni jak bracia.

– Opowiedz coś jeszcze – wyszeptała zasłuchana.

– Podoba ci się? – Spojrzał na nią z zainteresowaniem.

– A więc proszę – wyszeptał, dalej snując swoje opowieści. – Port otoczony wysokimi górami, miejscowe sery, które kupowaliśmy od rolników, stoiska pełne dojrzałych i świeżych fig, mandarynek, granatów i winogron. Adriatyk krystalicznie czysty, ciepły i płytki, pamiętam, gdy jako dzieciaki wraz z kolegami włóczyliśmy się godzinami po plaży, lubiliśmy wtedy obserwować żółwie spacerujące po piasku albo w parku, no i piękne i dostojne pelikany nad Jeziorem Szkoderskim i ich niezwykłe odgłosy, ach... Jeszcze smak słodkich jak miód arbuzów i melonów...

– Ale się rozmarzyłam! Jak ty możesz tu żyć? Bez tych wszystkich wspaniałości?

Ratimir spojrzał na Kalinę oczami pełnymi miłości, zbliżył się do niej i mocno objął.

– Bo ty jesteś moim dopełnieniem – wyszeptał jej do ucha, gdy wtuliła się w niego. Jesteś moim Adriatykiem, pięknym i spokojnym, moim gajem oliwnym, pnączem kwitnących mandarynek.

W jej oczach pojawiło się niewysłowione wzruszenie.

– To najpiękniejsze słowa, jakie kiedykolwiek usłyszałam. Dziękuję ci, mój kochany – odparła i musnęła jego wargi, cicho szepcząc jego imię.

Po wspólnej romantycznej kolacji przy świecach oboje zdecydowali, że pójdą jeszcze do kina.

– Pada deszcz. – Ratimir wyjrzał przez okno. Drobne krople powoli przybierały na intensywności.

– To co? – rzuciła Kalina. – Od czego są parasole? – uśmiechnęła się jak trzpiotka.

– W sumie racja. To co, idziemy?

– Koniecznie – odparła. Chwyciła go pod ramię i wspólnie opuścili mieszkanie.

Samochód, który jakiś czas temu Kalina mijała na szpitalnym parkingu, stał teraz po drugiej stronie ulicy, a postać siedząca w środku z uwagą śledziła wszystkich mieszkańców wychodzących z bloku. Gdy tylko zakochana para wyszła z budynku, kierowca odpalił samochód i przez resztę drogi jechał za nimi na tyle dyskretnie, by nie wzbudzić podejrzeń co do swojej obecności. Dopiero pod kinem po długim wyczekiwaniu zrezygnował, odjeżdżając gdzieś w nieznane.

Nazajutrz rano, pomimo że miał to być dzień wolny, Ratimir odebrał telefon z pracy, informujący o nagłej konieczności stawienie się w firmie.

– Jak to? – Kalina patrzyła na niego z miną pełną wyrzutów. – Przecież miałeś na dziś zaplanowany urlop.

– Wiem, ale jeden z pracowników się rozchorował i szukają kogoś na zastępstwo.

– I akurat ciebie? Mieliśmy spędzić ten czas razem.

– Do wieczora wrócę, kochanie, może idź na zakupy?

– Do marketu? Nie, to już wolę sobie poczytać, chyba skończę ten romans historyczny. Nigdy nie mam na niego czasu. Albo lepiej przygotuję zajęcia do szkoły. Mam jedną uczennicę, bardzo zdolną i ambitną, obiecałam, że znajdę jej coś wyjątkowego do zagrania.

– No widzisz! Nawet nie zauważysz, kiedy minie czas.

– Jego głos dochodził z łazienki, gdy pochylony nad umywalką szybko się golił i mył zęby. – To nie jesteś na mnie zła? – spytał, gdy Kalina znienacka stanęła tuż za nim.

– Nie, jestem tylko wściekła, ale do wieczora mi przejdzie. Lepiej już idź, bo za chwilę znowu zadzwonią.

– Rozumiem – uśmiechnął się. – Już nie możesz się doczekać, kiedy wyjdę – żartował.

Kalina spojrzała na niego z ponurą miną. Nie tak wyobrażała sobie ten dzień. Ratimir szybko się przygotował i po piętnastu minutach dał jej buziaka na pożegnanie. Po pół godzinie, z kubkiem kawy w ręce, Kalina usadowiła się wygodnie w fotelu i sięgnęła po zeszyty gam i etiud. Potem sięgnęła po książkę, usiłowała odnaleźć stronę, na której poprzednio zakończyła swoją lekturę, a gdy wreszcie jej się to udało i zaczęła czytać od strony osiemdziesiątej, ktoś niespodziewanie zadzwonił do drzwi.

– Kto to może być? – mruknęła, odkładając kubek i książkę na stolik. Poprawiła włosy i powoli otworzyła drzwi. Była niesamowicie zdumiona, gdy Witold w pełnej krasie stanął tuż przed nią, wywijając jej przed nosem bukietem różowych tulipanów. Kalina w dalszym ciągu spoglądała na niego z osłupieniem, a potem niezadowolona zmarszczyła czoło.

– Co ty tu robisz? – Jej ostry ton spowodował, że uśmiech od razu zniknął z jego twarzy

– Jak to co? Przyszedłem do ciebie, Kalinko.

– Kalinko? Co to za cyrk? Jak mnie tu znalazłeś? Skąd wiedziałeś, gdzie mieszkam?

– A, tak jeździłem sobie to tu, to tam... I zauważyłem cię przypadkiem.

– Przypadkiem? Czy ty mnie śledzisz?

– Od razu, że śledzę... Nie przesadzaj. Stęskniłem się, Kalina, proszę, wróć do mnie – wydeklamował na jednym oddechu, wręczając jej kwiaty.

Kalina spojrzała na niego groźnie, przez co zieleń jej oczu nabrała niezwykłej intensywności.

– Ty chyba zwariowałeś! To jakiś żart?

– Nie, kocham cię, Kalina, przecież wiesz.

– Co? Nie kłam! Pozwoliłeś mi odejść, nie zrobiłeś nic, gdy opuszczałam nasz dom, nawet nie odwiedzałeś naszej córki w szpitalu. Nigdy ci tego nie wybaczę! Jaki z ciebie podły aktor! W dodatku zakłamany, a teraz masz czelność tu przychodzić?

– Czyli nie wrócisz do mnie? – Spojrzał na nią zaskoczony.

– Czy mało konkretnie się wyraziłam? Zejdź mi z oczu... – rzuciła stanowczo w odpowiedzi, zamykając mu drzwi tuż przed nosem.

– Pożałujesz! – Witold nie potrafił odejść z honorem i wykrzykiwał swe groźby tuż pod jej drzwiami. – Zobaczysz, jeszcze sama do mnie wrócisz, jak tylko ten fircyk cię zostawi albo oszuka!

Kalina nie wytrzymała i ponownie otworzyła drzwi.

– Nikt nie jest w stanie oszukać mnie bardziej, niż ty sam to zrobiłeś! Zrozum, ty dla mnie już nie istniejesz. A nawet jeśli mi coś w życiu znowu nie wyjdzie, to przynajmniej będę miała co wspominać.

– Czyli co?

– Najwspanialsze i najszczęśliwsze chwile mojego życia spędzone z nim – wyznała dosadnie, przenikając go zielenią swych pięknych oczu. – Odejdź. Między nami nic już nie jest możliwe, nigdy... – dodała już spokojniej i powoli zamknęła drzwi, tym razem nie otwierając ich ponownie. Czekając chwilę pod drzwiami, usłyszała na schodach powolne kroki Witolda. Westchnęła z ulgą. Gdy w końcu zdołała ostudzić emocje, usiłowała wrócić do swojej lektury, choć nadaremnie, bo nie przeczytała ani jednej strony.

– Myślał, że jednym bukietem kwiatów zdoła cofnąć wyrządzone zło... – wyszeptała i czując nagłe zmęczenie, położyła się w sypialni na łóżku. Sen przyszedł po chwili, a gdy Kalina po jakimś czasie się przebudziła, dochodziła już szesnasta. Ze zdziwieniem spostrzegła, że telefon dzwonił dwukrotnie. *Ratimir. Zadzwonię do niego za chwilę, ale najpierw wezmę prysznic,* postanowiła i po chwili ruszyła w stronę łazienki.

Po półgodzinie, gdy otulona ręcznikiem wychodziła z łazienki, znowu rozbrzmiał dzwonek do drzwi.

– Jeśli to znowu Witold, to nie ręczę za siebie – wycedziła nerwowo przez zęby i z niechęcią ruszyła przed siebie. Tym razem przezornie spojrzała przez wizjer. *Kto to może być?*, zdziwiła się na widok nieznanej kobiety. Powoli otworzyła drzwi, chowając się nieco za nimi.

– Słucham? – spytała zaskoczona, patrząc na niską, szczupłą kobietę ze sporej wielkości walizką na kółkach.

– Kim pani jest? – niespodziewanie usłyszała w odpowiedzi.

– Ja tu mieszkam, a pani w jakiej sprawie?

– Pani tu mieszka? Ciekawe... Od kiedy?

Kalina spojrzała na kobietę ze zwątpieniem.

– Nie rozumiem, o co pani chodzi? Kim pani jest?

– Jestem żoną Ratimira, Lora Novković – przedstawiła się. – Czy on nadal tu mieszka?

– Tak. – Twarz Kaliny pobladła, a ona sama miała wrażenie, że za chwilę zemdleje.

– Wpuści mnie pani, czy mam tu tak stać?

– Nie wiem, jestem sama.

– Informuję panią, że to także moje mieszkanie, z tego co pamiętam… – odparła ironicznie i bez wahania przestąpiła próg drzwi. Kalina stała w osłupieniu z głupim wyrazem zdziwienia i bezradności na twarzy. Kobieta zmierzyła ją wzrokiem od góry do dołu.

– Widzę, że mój mąż szybko się pocieszył…

– Przepraszam, ale muszę zadzwonić. – Kalina czuła, że ze zdenerwowania kręci jej się w głowie. – Zaraz wracam. – Zawinęła mocniej ręcznik i zniknęła w drzwiach łazienki.

– Cóż, sama się rozgoszczę. – Kobieta rozejrzała się wokół i ustawiła walizkę w salonie.

Kalina weszła do łazienki i szybko przebrała się w swoje rzeczy, następnie weszła do sypialni i wybrała numer do Ratimira. Po dłuższej chwili odebrał.

– Cudownie, że dzwonisz – usłyszała jego radosny głos. – Będę w domu za pół godziny, cieszysz się?

– Na pewno ucieszy się ktoś jeszcze. – Jej głos wydawał się załamany i lekko drżący.

– Kto? O czym mówisz?

– Twoja żona wróciła – odparła cicho, siadając na sypialnianym łóżku.

Ciepły deszcz delikatnie uderzał o szyby. Kalina właśnie zakończyła rozmowę z Blanką, nie dając po sobie poznać, jak bardzo jest załamana. Cieszyła się szczęściem córki, jednak przedłużający się pobyt żony Ratimira spowodował, że postanowiła zatrzymać się w hotelu. Okazało się, że mieszkanie jest ich obojga. A Lora? Na nowo chce ułożyć sobie życie i z tego, co dostrzegła Kalina, najwyraźniej pragnie odzyskać względy męża.

– Nie zgadzam się, to dziecinne. Jeśli w ogóle, to wyprowadzimy się oboje – Ratimir stanowczo protestował, gdy Kalina poinformowała go o swoim zamiarze, pakując swoje rzeczy do walizki.

– Musisz tu zostać, inaczej ona zawładnie tym miejscem, nie mamy wyboru.

Spojrzała na niego ze smutkiem w oczach.

– Co za pech... Dlaczego właśnie teraz? Gdy ty dajesz mi tyle szczęścia...

– Nic nie mów.

W jej wielkich oczach stanęły łzy, a ból i złość jednocześnie przepełniały jej serce.

– Tak trzeba i już. Gdy wyjaśnicie swoje sprawy, znowu będziemy razem. – Kalina spojrzała na niego czule. – Nie odprowadzaj mnie – stwierdziła, gdy stanął tuż za nią.

– To nie potrwa długo, zobaczysz. Po prostu w tej sytuacji trzeba sprzedać to mieszkanie, tyle że ona nie chce.

– No właśnie, Ratimir. Nie zastanawiałeś się nad tym, dlaczego ona to robi?

– To jasne, robi mi na złość – rzucił ostro, drapiąc się po głowie.

Kalina cicho westchnęła, kiwając głową.

– Nie sądzę.

– Jak to?

– Myślę, że ona chce do ciebie wrócić. Naprawdę tego nie dostrzegasz?

– O czym ty mówisz? To nonsens – parsknął.

– Wcale nie. Twoja żona rozstała się z tamtym mężczyzną, nie ma nic, więc będzie próbowała cię na nowo odzyskać. Dlatego to wszystko robi.

– Nawet jeśli, to nic z tego – zapewnił gwałtownie.

Kalina spuściła wzrok. Świetnie wiedziała, o co toczy się walka. Nagle przestała czuć się dla niego najważniejsza, a jej pewność siebie powoli ulatniała się, ustępując miejsca strachowi.

– Pójdę już – stwierdziła, chwytając walizkę. Ratimir spoglądał na nią z pełną boleści miną.

– Nie mogę znieść myśli, że będziesz nocowała w jakimś hotelu…

– Przecież możesz do mnie przychodzić.

– Wiem, i przyjdę. Jadę zaraz do prawnika dowiedzieć się, jak wygląda sytuacja z mieszkaniem. No i Lora… musi w końcu podpisać papiery rozwodowe.

– Zobaczymy, czy to zrobi.

– Postaram się, by je szybko podpisała, w końcu to ona mnie opuściła.

– Jasne…

– Chodź, odprowadzę cię.

– Nie musisz. Lepiej jedź już pozałatwiać te sprawy, poradzę sobie, zamówiłam taksówkę.

– Uparta jesteś. – Ratimir wyglądał na zmęczonego, dobijała go myśl o rozstaniu z Kaliną.

– W tej sytuacji nie mam innego wyjścia, będę czekała na wieści od ciebie.

– Dobrze – odparł i pochyliwszy się nad jej bladą twarzą, złożył namiętny pocałunek na jej ustach. Kalina nie chciała okazywać po sobie, jak bardzo boli ją ta sytuacja, jak bardzo cierpi i boi się, że go straci. Żona Ratimira była ładną, zgrabną i pewną siebie brunetką. Kalina była jej fizycznym przeciwieństwem, co, jak sądziła, działało na jej niekorzyść.

Żółta taksówka czekała już na nią przed blokiem, a pokój hotelowy okazał się mało przytulny, co tylko pogłębiło smutek i przygnębienie Kaliny. Na dodatek nie wiadomo z jakiego powodu Ratimir nie pojawił się u niej ani tego wieczoru, ani następnego dnia. Jego telefon również milczał. Kalina, by nie myśleć o nim i nie oszaleć pod naporem przeróżnych złych przypuszczeń, przesiadywała w szkole, biorąc dodatkowe lekcje. Uczniowie ją pokochali, a ona choć z tego miała satysfakcję. Pod koniec tygodnia Ratimir w końcu dał jej znać, że sprawy posuwają się naprzód i że najprawdopodobniej wkrótce uzyska rozwód. Kalina odzyskała więc spokój ducha i z tego powodu postanowiła kupić sobie coś ładnego. Z zadowoloną miną i torbą pełną zakupów przemierzała sklepy w galerii handlowej. Kiedy po dwóch godzinach z niej wychodziła, niespodziewanie ujrzała Ratimira. Od razu rozpoznała go wśród tłumu ludzi. Kalina pomachała mu, jednak jej nie zauważył.

– Chyba mnie nie widzi… – wyszeptała i w tej samej chwili zwątpiła, bo obok niego zauważyła Larę. Kobieta śmiała się do niego niesamowicie figlarnie i, chwyciwszy go pod rękę, stanęła na palcach, by go pocałować. Kalina poczuła, jak uchodzi z niej życie. Spojrzała ponownie w ich stronę i wówczas Ratimir ją dostrzegł, machając do niej rękami. *Co za tupet*, pomyślała z oczami pełnymi łez. Serce waliło jej jak oszalałe, w tej samej chwili miała ochotę podejść do niego i z całych sił obłożyć pięściami. Zamknęła oczy, mając nadzieję, że to wszystko tylko jej się śni, jednak gdy je otworzyła, Ratimir stał już przy niej.

– Cześć, kochanie, kiwałem do ciebie, nie widziałaś mnie? – uśmiechał się do niej jak zawsze.

– Widziałam. Widziałam też twoją żonę i to, jak się z nią całowałeś…

– Co? To ona mnie pocałowała na pożegnanie. Kalina, no co ty… – zaśmiał się w głos.

– Daj mi spokój.

– Co ty mówisz?

– Ktoś, kto się rozwodzi, nie całuje się tak z byłą żoną. Okłamałeś mnie, przez cały tydzień nawet nie zajrzałeś do mnie! – krzyknęła, tracąc opanowanie, aż mijający ich ludzie spoglądali na nią dziwnie.

– Przecież sama mi kazałaś wszystko pozałatwiać, starałem się jak wariat... dla ciebie.

– Mieszkałeś z nią sam przez tydzień, a teraz ten pocałunek...

– Co sugerujesz?

– Nie jestem ślepa, ona wciąż cię interesuje, może nawet ją kochasz.

– Oszalałaś? – Patrzył na nią z niedowierzaniem. – Sądziłem, że sobie ufamy.

– Wiem, co widziałam. A ufam tylko samej sobie. Lepiej już pójdę.

– Kalina! Co ty robisz? Zastanów się! To śmieszne.

– Muszę to wszystko sobie przemyśleć – wyszeptała drżącym głosem.

– Posłuchaj – zaczął stanowczo, a jego oczy przybrały teraz ciemniejszą barwę. – Jeśli mi nie wierzysz i nie ufasz, to nasz związek...

– Wiem, co chcesz powiedzieć, już przerabiałam coś podobnego: zaprzeczenia, tłumaczenia, kłamstwa...

– To siedzi tylko w twojej głowie, Kalina, tego nie ma, nie zdradziłem cię, to był tylko niewinny pocałunek!

– Nie wierzę ci, nic potrafię... Jak mogłeś mi to zrobić, tak ci wierzyłam!

– Nie spałem z nią.

– Ale ona próbowała, prawda?

– Jakie to ma znaczenie? Żadne!

– Ma znaczenie! I to wielkie! Muszę się przejść, ochłonąć...

– Kalina, jeśli odejdziesz teraz, to ja wyjeżdżam. Wracam do siebie, do Czarnogóry. Tak naprawdę tylko ty mnie tu trzymałaś – westchnął, próbując ją przytulić. Kalina jednak odsunęła się od niego.

– W takim razie jedź. – W jej głowie roiły się teraz miliony emocji, miała ochotę krzyczeć i płakać na zmianę.

– Skoro tak... – Tym razem w jego głosie zabrzmiało zniecierpliwienie. – Nie czuję się winny. Nie wiem, co cię napadło, wiedz jednak, że cię kocham. Jeśli zmienisz zdanie, wiesz, gdzie mnie szukać.

Podejrzenia Kaliny najwyraźniej uraziły go, jednak ona nie potrafiła pokonać muru niepewności i podejrzeń, który tak bardzo ich podzielił. Ratimir ze smutkiem w oczach odszedł bez słowa. Kalina stała bez ruchu i patrzyła, jak mężczyzna jej życia oddala się od niej być może na zawsze.

Zwątpienie ogarnęło ją na wskroś, jednak siła zranienia i podejrzeń była większa. Powoli odwróciła się i z bólem serca ruszyła w stronę hotelu. Przez kolejny tydzień była nie do życia, nieobecna w pracy, prawie nie jadła, nie piła, do bólu rozważając swe wątpliwości. Telefon milczał. W końcu zapragnęła pójść na spacer do parku, w którym dawniej spotykała się z Ratimirem. Jej depresję potęgował fakt, że Ratimir tak szybko i łatwo poddał się, rezygnując z walki o nich. Gdyby tylko w jakiś sposób mogła upewnić się co do słuszności swoich podejrzeń...

– Pójdę tam – postanowiła. – Pójdę do jego mieszkania i jeśli zastanę ich tam razem, to przekonam się, że dobrze zrobiłam. Jeśli czegoś zaraz nie zrobię, to oszaleję. Muszę mieć pewność... Muszę.

Nie czekając ani chwili dłużej, ruszyła w kierunku osiedla. Czuła się jak postrzelona nastolatka, gdy z łatwością pokonywała schody. W końcu, łapiąc przez chwilę oddech, zapukała do drzwi. Po dłuższej chwili otworzył jej nieznany blondyn, który spoglądał na nią ze zdziwieniem, a Kalina zwątpiła jeszcze bardziej.

– Kto tam? – usłyszała dochodzący z łazienki głos Lary.

– Nie wiem, pani chyba do ciebie, kochanie. – Mężczyzna rozbawionym wzrokiem oceniał wygląd Kaliny, a dokładnie jej rumieńce na twarzy, przez które wyglądała jak dziewczynka. Lora po chwili wynurzyła się z łazienki owinięta w sporych wielkości ręcznik kąpielowy.

– Dzień dobry – zaczęła niepewnie Kalina. – Ja...

– Do Ratimira? Pamiętam cię, jesteś jego dziewczyną.

– W zasadzie już nie. Czy Ratimir jest w domu?

– W domu? – zdziwiła się, spoglądając na swego kochasia. – Przecież on wyjechał, już dobry tydzień temu. Sądziłam, że polecieliście razem.

To pani z nim nie wyjechała? – Kaliny wpatrywała się w nią ze zdenerwowaniem.

– Ja? A po co?

– Nie, nic... Myślałam, że wróciliście do siebie...

– On mnie już nie kocha i skoro dałam mu już ten rozwód, to muszę się teraz jakoś pocieszyć – odparła, klepiąc blondyna w tyłek. Kalina czuła, jak powoli wraca do niej życie.

– A dokąd poleciał?

– Nie powiedział ci? Wrócił do domu, do swojej ukochanej Budvy – oznajmiła, spoglądając na nią ze zdziwieniem.

– No tak, faktycznie, mówił mi. Dziękuję, do widzenia – odparła Kalina i szybko zbiegła po schodach.

– Boże, ale ze mnie kretynka! – krzyknęła, gdy tylko wyszła na zewnątrz. – Przecież on mówił prawdę, a ja mu nie uwierzyłam! Co teraz? Ja… ja muszę tam do niego polecieć, wytłumaczyć mu. – Nie czekając ani chwili dłużej, sięgnęła do torebki po telefon. – Proszę przysłać taksówkę za godzinę pod galerię handlową. Muszę niezwłocznie dostać się na lotnisko.

W hali odlotów panowało zamieszanie, przemieszczały się tu setki ludzi, targając ze sobą przeróżnej wielkości walizki, plecaki, torby, zwierzęta i dzieci. Kalina jeszcze nigdy nie leciała samolotem, więc z gardłem ściśniętym ze strachu podeszła do punktu odprawy.

– Ma pani tylko tę mała torbę? – Urzędnik spojrzał na nią ze zdziwieniem.

– Tak, czy to jakiś problem?

– Nie, żaden, wszystko w porządku.

– Dziękuję – odparła z ulgą. Zabrała ze sobą tylko podręczny bagaż, nie znalazła czasu, by spakować coś więcej.

Samolot odleciał punktualnie, a lot wcale nie okazał się tak uciążliwy, jak sądziła. Dla poprawy humoru i odwagi poprosiła o małego drinka, a potem jeszcze jednego. W końcu, pełna spokoju, z ulgą stwierdziła, że mogłaby tak latać codziennie. Po niecałych trzech godzinach podróży była już na miejscu. Wiedziała tylko, że szuka Ratimira i starówki, zaledwie tyle zapamiętała z jego opowiadań. Lekko odurzona alkoholem i niespodziewanie gorącym powietrzem, Kalina zatoczyła się lekko w lewo.

– Czy dobrze się pani czuje? – Mężczyzna, który leciał z nią, przytrzymał ją, by nie upadła.

– Cudownie, czuję się cudownie – wyznała z uśmiechem na ustach. Mężczyzna spojrzał na nią niepewnie, jednak

Kalina szybko zapewniła go o swojej pełnej świadomości. Zachwycona pięknymi widokami rozglądała się dokoła.

Miasto było urocze, wszędzie przepiękne widoki, palmy rosnące wzdłuż ulic i niezwykły, uroczy zapach kwiatów. Piękna alejka prowadząca prosto na plażę zachęcała, by nią podążać. Kalina nie bardzo wiedziała, w którą stronę powinna się udać. Ocierając pot z czoła, myślała o tym, że najchętniej położyłaby się na tym wydeptanym błyszczącym chodniku w cieniu palm. Miasto w rzeczywistości okazało się wcale nie małe, a ona szybko pojęła, że nie będzie jej łatwo odnaleźć ukochanego, o ile w ogóle jej się to uda.

– Pójdę poszukać tej starówki, o ile wcześniej nie umrę z pragnienia i upału – wymamrotała, chwaląc niebiosa za to, że zabrała ze sobą jedynie małą torbę.

Minęło sporo czasu, zanim dotarła na miejsce. Starówka okazała się pełnym uroku miejscem, wszystkie budynki i ulice wybudowano tu z ciosanego kamienia, co nadawało temu miejscu szczególnego charakteru minionej epoki. Nisko osadzone okna miały zamontowane żelazne okiennice. Panowała tu cisza i senny spokój. Kalina domyślała się, że dopiero gdy słońce będzie się miało ku zachodowi, miasteczko ożywi się i pojawią się tu jego mieszkańcy. Nie mogła pojąć, jak można tu funkcjonować w dzień. Upał osłabiał jej myśli i ciało. Zmęczona, usiadła na drewnianej ławce, w cieniu bujnych winorośli i drzew mandarynkowych.

Jak tu pięknie, pomyślała i mimo niewygody przysnęła po chwili, opierając głowę o torbę.

Po kilku godzinach zbudziła ją uliczna muzyka i cudowny zapach smażonego na grillu jedzenia. Otoczona wianuszkiem gapiów, szybko usiadła na ławce, poprawiając sukienkę i włosy. Ktoś mówił do niej głośno, gestykulując przy tym, jednak Kalina nie rozumiała ani słowa.

– Ratimir Novković? – odezwała się po chwili, a przechodnie spoglądali na nią z uśmiechami na twarzach. – Ratimir Novković... – powtórzyła, pełna obaw, że tę noc spędzi na ławce.

Jednak los nad nią czuwał, bo niespodziewanie po chwili ktoś zareagował na jej słowa.

– Novković... Novković... – Pewien staruszek kiwnął na nią, nakazując tym samym, by za nim poszła. Pełna nadziei chwyciła torbę. *A co jeśli to ściema?*, pomyślała szybko ze ściśniętym z głodu żołądkiem. Przepełniona swymi obawami i strachem, szła za starcem niekończącymi się, wąskimi uliczkami.

– Miało być niedaleko starówki – zreflektowała się, gdy w końcu mężczyzna przystanął przy jednym z budynków.

– Novković – powiedział, uśmiechając się do niej i wskazując na drzwi.

Kalina nabrała powietrza. *A co będzie, jeśli on już mnie nie chce? Idiotka!*, ganiła w myślach samą siebie, i w końcu z duszą na ramieniu zapukała do drzwi. Chwila czekania i nic. Zapukała ponownie. Cisza.

Zaniepokojona spojrzała w stronę staruszka, jednak ten zniknął jak duch.

– Do trzech razy sztuka – wyszeptała z bijącym głośno sercem i znowu zapukała, tym razem głośniej. Wciąż nic, głucha cisza. Westchnęła więc cicho i pochyliła się po torbę. Nagle, gdy już miała odejść, w jednym oknie zapaliło się światło i po chwili ktoś przekręcił zamek w drzwiach. W progu domu pojawiła się piękna, śniada kobieta, a jej długie kruczoczarne włosy lśniły w blasku stłumionego światła. Powiedziała do Kaliny kilka obco brzmiących słów, ta uśmiechnęła się, nic nie rozumiejąc.

– Ratimir Novković? – spytała zdesperowanym tonem, spoglądając niepewnie na brunetkę.

– A, Ratimir. – Piękność uśmiechnęła się do niej i chwyciła ją za rękę, bez wahania wciągając do środka domu. – Ratimir, Ratimir! – krzyknęła po chwili, zabierając Kalinie torbę. Niespodziewanie w domu zapanował chaos, w pustym przed chwilą przedpokoju pojawili się chyba wszyscy mieszkańcy domu. Otoczona wianuszkiem uśmiechniętych, nieznanych twarzy, Kalina stała w miejscu, nie ruszając się.

– Kalina? – Wreszcie usłyszała jego głos. Ratimir stał na schodach, ubrany w śmieszne krótkie spodenki i podkoszulkę z ogromną palmą pośrodku. Wyglądał przezabawnie.

Cześć, to twoja rodzina?

– Część rodziny. – Podrapał się po głowie. – Co ty tu robisz?

– Przyleciałam do ciebie, bo…

– …bo? – spytał, poważnie jej się przyglądając.

– Pomyliłam się, nie uwierzyłam twoim słowom, a ty mówiłeś wtedy prawdę i wcale mnie nie zdradziłeś. Źle zrobiłam… Wybaczysz mi kiedyś?

– No, nie wiem – odparł, z całych sił hamując rosnącą w sercu radość. – Muszę się zastanowić.

– Rozumiem… – Kalina smutno zwiesiła głowę. – To ja już pójdę – odparła, speszona jego chłodnym przyjęciem i wścibskimi spojrzeniami ludzi. Bez wahania chwyciła swoją torbę i szybko wyszła z domu.

– Idiotka – wyszeptała do siebie. – Na co liczyłaś? – mamrotała, gdy nagle z domu wybiegła za nią cała rodzina, krzycząc coś doniośle i gestykulując. Kalina z niedowierzaniem spojrzała za siebie.

– Ni w ząb was nie rozumiem – odparła, wzruszając ramionami, i odwróciła się, by pójść dalej.

– Kalina! – usłyszała po chwili jego głos. – Kalina, poczekaj, ty wariatko!

Ratimir dogonił ją i z całych sił pochwycił w ramiona.

– Myślisz, że pozwolę ci odejść ponownie?

– Jakoś długo nad tym myślałeś! – odpowiedziała mu ostro. – A ta piękna brunetka, to niby kto? – Jej wielkie, zielone oczy wyglądały teraz bojowo i groźnie.

– To moja siostra, Jelena, ty wariatko – odparł i zaczął się w głos śmiać. – Jak ja się cieszę, że tu jesteś! Wiesz, jeszcze kilka dni i sam bym do ciebie poleciał. Nie mogę żyć bez ciebie, Kalina.

– Naprawdę?

– Naprawdę.

– To w takim razie będziesz musiał żyć ze mną, bo już się mnie nie pozbędziesz. – Uśmiechnęła się do niego, odszukała jego usta i całowała go długo i namiętnie.